AF573432

Alexandre Guilhem

Comment les classes dominantes ont détourné le suffrage universel

de 1848 à nos jours

Ce livre a été publié sur www.bookelis.com

ISBN : 9791042451851

SOMMAIRE

Introduction

Nul n'est plus esclave que celui qui se croit libre sans l'être.

Johann Wolfgang Goethe,
Les affinités électives, 1809

En mars 1848, les révolutionnaires républicains, dont une grande partie d'ouvriers à tendance socialiste, mirent fin à la monarchie et proclamèrent le suffrage universel. Ces révolutionnaires en armes permirent ainsi à près de 10 millions de français de voter dès le mois d'avril : ces nouveaux citoyens profitèrent alors de ce droit inédit qui leur était octroyé par le pouvoir socialiste-démocrate pour envoyer à l'Assemblée… une majorité conservatrice composée de monarchistes et de républicains modérés ! Les principales mesures prises par les démocrates socialistes au pouvoir furent alors abolies, excepté le suffrage universel. Les dominants avaient compris qu'ils pourraient s'en accommoder.

Ce n'est pas l'élection d'Emmanuel Macron en 2017 qui les fera se retourner dans leur tombe…

163 948 000 000 d'euros.

C'est la somme cumulée des cadeaux fiscaux offerts aux plus riches durant son premier mandat. C'est la somme perdue par l'État et donc par la collectivité nationale. Instauration de la flat tax (division par deux environ des prélèvements sur les revenus financiers), suppression de l'Impôt Sur la Fortune (ISF), baisse des impôts de production, suppression de la quatrième tranche de la taxe sur les hauts salaires, baisse de l'impôt sur les sociétés, suppression de l'exit tax : inutile de tenter de retenir toutes les mesures fiscales favorables aux riches prises par E. Macron, il y en a trop.

Face à ce désossage de l'État, ce sont les catégories modestes qui trinquent et les plus fragiles : les jeunes qui ont vu leurs rares aides diminuer avec la suppression de l'Aide à la Recherche du Premier Emploi (ARPE) et des contrats aidés, les personnes en situation de handicap à qui LREM a longtemps refusé la déconjugalisation de l'allocation adulte handicapé (AAH), ceux qui peinent à se loger à qui on a retiré 10 milliards d'aides en 5 ans (la baisse médiatisée de 5 euros des Aides Personnalisées au Logement n'est que la partie émergée de l'iceberg), les retraités à qui l'on a fait subir une hausse de la Contribution Sociale Généralisée, les chômeurs sur le dos de qui l'État fera 2,3 milliards d'économies par an par la réforme de l'assurance chômage, les smicards qui ont vu leur salaire augmenter moins vite que l'inflation comme d'ailleurs la plupart des Français. Quant aux fonctionnaires, ils pâtissent d'un gel des salaires qui les place une fois de plus à la merci de l'inflation (pas les hauts fonctionnaires, bien sûr, qui voient les primes s'accumuler).

L'État ne joue plus son rôle de redistribution. En conséquence, les inégalités se renforcent.

Ainsi, la fortune cumulée des 4 familles les plus riches est passée de 112 milliards d'euros en 2017 à 419 en 2021, soit quasiment une augmentation de 300 %. Le palier pour entrer dans le TOP 500 établi par *Challenges* est passé de 100 millions d'euros en 2016 à 235 millions en 2022, soit plus du double. La fortune globale des 500 familles les plus riches a doublé en cinq ans, passant de 570 à 1 170 milliards d'euros. Chacun l'aura constaté, les revenus des plus modestes ne suivent pas : là où les 1 % les plus modestes ont perdu 35 euros par an sous le quinquennat Macron, les 1 % les plus riches ont gagné 3500 euros par an. Le taux de Français sous le seuil de pauvreté a augmenté d'année en année. Selon une enquête IFOP de 2023, un Français sur deux est contraint de sauter des repas occasionnellement ou régulièrement, alors qu'ils étaient un sur trois en 2007.

Le constat est tout aussi accablant en matière d'écologie. Là encore, le gouvernement élu sert une minorité de privilégiés au mépris du bien commun. L'Etat subventionne massivement les entreprises productrices d'énergies fossiles, venant enrichir des actionnaires aux bénéfices record et venant perpétuer une économie qui nous condamne tous en générant des gaz à effets de serre. L'Etat soutient des grands projets inutiles d'un autre temps, favorables uniquement aux intérêts privés de ceux qui les exploitent quand tous les autres vont en subir les conséquences néfastes. Les mégabassines, par exemple, renforcent l'évaporation, vident les nappes phréatiques et visent à permettre aux grandes entreprises de l'agrobusiness de contourner les règles de restriction d'eau quand tous les autres en pâtiront, petits agriculteurs y compris. Pourquoi prendre en charge ces dispositifs par des subventions généreuses, pourquoi même les autoriser ? Pourquoi réprimer dans le sang les manifestants qui s'y opposent au nom du bien commun quand ceux qui en construisent illégalement au nom de leurs intérêts particuliers n'en sont pas empêchés ? Les principaux responsables du dérèglement climatique, de la pénurie de ressources et de l'effondrement de la biodiversité sont encouragés à continuer d'un côté et on leur permet d'échapper aux premières conséquences de cette crise écologique de l'autre. La majorité des Français en souffrira d'autant plus. Pourtant, ce sont eux qui ont voté pour dépenser leur argent à l'encontre de leurs intérêts et même de leur propre survie.

Et ils ont recommencé. E. Macron a été réélu. Et la première grande réforme qu'il a accompli est une réforme des retraites impopulaire auprès de 2/3 des Français. La première grande réforme lors de son premier mandat avait été la suppression de l'ISF, impôt qui ne pesait que sur les

300 000 personnes les plus riches quand tous les autres en bénéficiaient sous forme de redistribution. Comment est-ce possible ?

Une mise en perspective historique permet de voir plus clair dans les manœuvres qui permettent aux classes dominantes de s'accommoder du suffrage universel.

Par le terme de « classes dominantes » ou d'« élites », j'entends les individus et groupes sociaux occupant des positions de pouvoir économique, politique et communicationnelle qui les placent au sommet de la hiérarchie sociale. Il ne faut y voir ici aucune connotation en termes de qualités mais simplement un statut, une position de domination. Pour être plus concret, cela correspond peu ou prou aux grands détenteurs de capitaux, soit entre 0.1 et 1 % des Français aujourd'hui. Vous les reconnaitrez au fait que pour cette tranche de la population, l'impôt devient régressif.

Comment, de 1848 à aujourd'hui, les élites ont-elles détourné le suffrage universel ? Comment un système basé sur la volonté de la majorité entretient-il la domination d'une minorité ?

Chapitre 1
En mettant en place un suffrage universel très particulier

Les mains des femmes sont-elles bien faites pour le pugilat de l'arène publique ? Plus que pour manier le bulletin de vote, les mains de femmes sont faites pour être baisées, baisées dévotement quand ce sont celles des mères, amoureusement quand ce sont celles des femmes et des fiancées : ... Séduire et être mère, c'est pour cela qu'est faite la femme.

Alexandre Berard, rapport du Sénat, 3 oct. 1919

La moyenne des hommes et des femmes sont également incapables de juger actuellement des choses politiques. Elles dépassent infiniment leurs capacités d'attention et de compréhension.... Les femmes étant encore plus livrées que les hommes aux forces émotives seront emportées plus massivement encore par ces vastes ondes... La masse électorale nouvelle en s'ajoutant à l'ancienne ne fera qu'amplifier les vibrations de l'opinion régnante.

Romain Rolland, « Le nouveau monde », 1925.

J'ai choisi ces deux extraits sur le site de *Public Sénat* non pas parce qu'ils dévoilent des opinions extrêmes mais au contraire parce qu'ils sont représentatifs de la doxa qui prévalait jusqu'au milieu du XXe siècle. La femme est cantonnée à son rôle de mère et d'épouse au sein du foyer et elle est gouvernée par ses émotions. Ces clichés sexistes étaient tellement ancrés que l'idée selon laquelle les femmes peuvent s'extraire de la sphère privée et participer à la sphère publique n'a pu s'imposer qu'après la Seconde Guerre mondiale, soit un siècle après que le droit de vote a été accordé à tous les hommes. On voit apparaître dans le deuxième extrait l'idée que, dans tous les cas, les masses ne sont pas capables de voter. Nous ne pouvons plus revenir en arrière maintenant que ce droit a été conquis par la lutte, mais n'en rajoutons pas en élargissant encore le corps électoral aux femmes. Ainsi, entre 1848 et les ordonnances d'avril 1944, soit pendant près d'un siècle, le suffrage dit « universel » était réservé aux hommes. Cette idée faisait consensus, à droite par traditionalisme et à gauche par crainte de l'influence de l'Eglise sur le vote des femmes. De plus, difficile d'obtenir un droit de manière pacifique quand vous n'avez pas le droit de vote… Pour expliquer cette exclusion particulièrement tardive des femmes du suffrage, se mêlent donc des facteurs socioculturels (que l'on peut résumer sous le terme de patriarcat), des considérations stratégiques et une configuration politique.

Les autres grands oubliés du suffrage furent les peuples colonisés. À part aux Antilles où l'abolition de l'esclavage s'est accompagnée du droit de vote dès 1848 avec une représentation parlementaire, les peuples colonisés ont été exclus de ce droit. En 1881, la République établit pour l'Algérie un Code de l'Indigénat discriminatoire qui est ensuite généralisé à l'ensemble des colonies. Y figure la distinction entre les colons, citoyens de plein droit, et les indigènes, qui disposent de la nationalité française mais sont réduits au rang de sujets qui les exclut des droits civiques. Cette exclusion est justifiée par le fait que les coutumes de la loi coranique ne seraient pas solubles dans la loi républicaine. Les colonisateurs arguent d'une infériorité civilisationnelle en s'appuyant notamment sur le traitement réservé aux femmes, ciblant entre autres la polygamie. Rappelons que l'on parle du même pays où les femmes ne disposaient pas du droit de vote, entre autres sujétions. Lorsqu'en 1936, le projet de loi Blum-Violette prévoit l'octroi de la pleine nationalité française aux élites indigènes d'Algérie avec l'obtention du droit de vote, la levée de boucliers des colons est telle que le projet n'arrive pas à son terme. Après la Seconde Guerre mondiale, le Code de l'indigénat prend fin avec les ordonnances de 1944. Le suffrage universel est instauré en Algérie avec la création d'une Assemblée algérienne en 1947. Néanmoins, le subterfuge du double collège électoral permet de perpétuer une inégalité entre colons et musulmans : « une voix d'européen vaut 9 voix d'algériens », note l'historien Benjamin Stora, spécialiste de l'Algérie coloniale. En effet, comme dans les États généraux de l'Ancien-Régime, la supériorité numérique du groupe subalterne est annihilée : 60 délégués pour le collège des 1 million d'européens, 60 délégués pour celui des 9 millions d'autochtones. De plus, seul un tiers du deuxième collège est élu au suffrage universel tandis que les deux-tiers sont désignés par l'administration coloniale. Ce n'est qu'en 1958, grâce à la guérilla menée par les indépendantistes algériens, que le suffrage universel est réellement mis en place en Algérie avec un collège unique et la possibilité d'envoyer des députés musulmans en métropole.

Aujourd'hui, en droit, il n'existe plus de nationalité sans citoyenneté. Le suffrage, à défaut d'être universel car tous les habitants du pays n'ont pas le droit de vote, est au moins national. Cependant, il existe toujours des exclus. Ils ont la possibilité juridique de voter mais ils ne le font pas. Or, les statistiques révèlent qu'il ne s'agit pas d'individus isolés. Nous ne traiterons ici que des présidentielles qui sont les élections qui mobilisent le plus les Français. En 2022, 26 % des Français ont choisi l'abstention au 1er tour et 28 % au second. 2 % ont fait l'effort de se déplacer pour voter blanc ou nul au premier tour et 9 % au second tour. Dans 20 % des communes, l'abstention arrive en tête. On peut tout mettre sur le dos de la responsabilité individuelle et ne pas chercher à comprendre, crier au manque de civisme et appeler au vote obligatoire afin d'imposer la « démocratie » par la force. Ou on peut au contraire chercher à comprendre les causes de cette abstention afin de prendre le problème à sa racine. C'est cette deuxième option qui sera la mienne. Si un Français sur quatre ne vote pas aux élections présidentielles, c'est qu'il estime soit qu'il n'a rien à en attendre, soit qu'il n'est pas apte à décider. Cela révèle dans le premier cas l'échec du personnel politique et de nos institutions, dans le deuxième cas l'échec du système médiatique et éducatif. Demandons-nous pour y voir plus clair qui ne vote pas. Les départements qui comportent le plus d'abstentionnistes sont ceux d'Outre-mer (69 % en Polynésie) et, en métropole, la Seine Saint Denis (30 %) et le Nord (28 %). Les ouvriers se sont particulièrement abstenus : 1 sur 3 ne s'est pas rendu au bureau de vote. Il apparaît donc que les classes populaires et les populations issues de la colonisation ne se sentent particulièrement pas concernées par ces élections (et encore moins par les autres).

En outre, et la statistique est encore plus inquiétante car elle préfigure de l'avenir, les 18-24 ans se sont abstenus au premier tour de la présidentielle pour 42 % d'entre eux et les 24-34 ans à hauteur de 46 %, soit quasiment un jeune sur deux ! Ainsi, en moyenne, les moins de 35 ans ne pèsent électoralement que 0.5 fois leur poids démographique là où les plus de 65 ans pèsent dans les urnes 1.5 fois leur poids, ce qui a des conséquences dans les thématiques choisies par les candidats politiques. La sur-représentation des catégories les plus âgées peut expliquer le vote pour un candidat qui promet d'allonger l'âge de la retraite puisqu'ils ne sont pas concernés. Or, lorsque l'on s'intéresse aux actifs uniquement, c'est carrément 93 % d'entre eux qui étaient opposés au report de l'âge légal de la retraite, selon un sondage de l'institut Montaigne réalisé à l'automne 2022, institut que l'on ne peut pas suspecter de gauchisme. L'abstentionnisme différentiel suivant les générations peut aussi expliquer en partie l'inaction politique sur les questions écologiques et la focalisation sur l'immigration. En d'autres termes, il favorise le conservatisme et le maintien de l'organisation sociale établie.

Les jeunes n'ont qu'à se saisir du droit qui leur est offert, me direz-vous. On peut penser qu'ils ne vont pas voter parce qu'ils ne se soucient pas de la vie politique -et après tout tant pis pour eux. Cependant, lorsqu'on voit leur mobilisation lors de manifestations sur des sujets comme l'écologie ou le racisme, on peut plutôt en conclure que c'est la vie politique *telle qu'elle leur est proposée* qui ne les satisfait pas. De plus, il y a dans cette catégorie d'âge une méconnaissance terrible de l'échiquier politique et, c'est peut-être là leur originalité par rapport aux catégories d'âge supérieures, une conscience de leur méconnaissance.

Pour côtoyer beaucoup de primo-accédants au vote dans le cadre de mon métier de professeur de lycée, je constate un réel désarroi des jeunes face à ce que proposent les partis et une incapacité à définir les lignes de clivages entre extrême-droite, droite, gauche et extrême-gauche. Ils sont pourtant avides de comprendre lorsqu'ils approchent de l'âge de la majorité. « *Pourquoi ne nous a-t-on jamais appris ça avant ?* » s'est étonné un élève de terminale alors qu'ils étudiaient les programmes des différents candidats aux présidentielles afin d'établir des lignes de partage entre la gauche et la droite. « *Parce que le programme d'Enseignement Moral et Civique ne nous demande d'aborder les partis qu'en terminale* », lui ai-je répondu en fonctionnaire éthique et responsable. « *Parce que cette matière est considérée comme une matière de seconde zone* », ai-je pensé en mon for intérieur. Parce que seulement 1 heure toutes les deux semaines lui est dévolue, parce que le programme manque d'ambition et incite à des banalités morales abordées comme un catéchisme sans réflexion sur leurs ramifications politiques (*c'est pas bien de harceler, c'est pas bien le racisme, c'est pas bien le sexisme, c'est pas bien l'homophobie, c'est pas bien la violence, c'est bien de voter, c'est si bien qu'on devrait même rendre ça obligatoire, vous me ferez des affiches et distribuerez des badges aux camarades pour indiquer tout ça*) aux dépens des connaissances de nos institutions, des partis et des grandes idées politiques. Demandez à un élève de terminale qui fait les lois en France et il vous dira le Président. En l'état actuel, nous ne sommes pas loin de la réalité mais, ne connaissant pas le système tel qu'il est censé fonctionner, il ne sera pas apte à critiquer la manière dont il fonctionne. Et c'est peut-être là le but. Éviter que ne s'élèvent l'esprit critique et l'aptitude à prendre des décisions politiques. Les élites qui ont été instruites par d'autres biais que l'école iront voter, les vieux iront voter, mais les masses resteront chez elles et ne défendront pas leurs intérêts. « *Pourquoi c'est une critique de dire « communiste » ? Il est cool le programme de Fabien Roussel* » m'a demandé l'élève de la classe de terminale STMG qui était chargée d'éplucher ce tract. Voilà qui vient confirmer cette hypothèse. C'est parfois dangereux pour les classes dominantes de laisser les masses juger par elles-mêmes, en usant de leur raison, plutôt que de leur livrer un discours prêt-à-porter. On peut donc faire l'hypothèse d'une volonté de dépolitiser.

E. Macron fait des grands discours sur l'importance de l'EMC. Pourtant, il ne fait rien pour développer la matière et bien au contraire, son choix de réduire la dotation horaire globale des établissements du secondaire contraint à supprimer localement des heures d'EMC. Quelques temps plus tôt, la réforme du lycée professionnel par J.-M. Blanquer réduisait les heures d'enseignement général (lettres, histoire) alors que les humanités sont fondamentales dans la formation de tout citoyen. Autant assumer qu'on fait des lycéens de section professionnelle des citoyens de seconde zone, les réduisant à des entités juste bonnes à travailler pour un patron.

« *Ceux qui ont le temps, en pleine semaine, d'aller accueillir des ministres de 14 heures à 18 heures, a priori ce ne sont quand même pas des Français qui travaillent* » déclarait Gabriel Attal, alors porte-parole du parti Renaissance, au sujet des casserolades organisées spontanément par les citoyens pour punir le gouvernement d'avoir imposé par 49.3 une réforme des retraites impopulaire. Tout y est. D'abord le mépris pour les chômeurs dont l'opinion politique serait manifestement frappée d'illégitimité selon lui. Ensuite, la confiscation de la vie politique par des professionnels : est-ce qu'on lui demande à lui, s'il n'a pas un vrai travail, à faire ainsi de la politique entre 8heures et 18heures ? Enfin, la réduction des Français à leur fonction de travailleur dont la politique ne doit pas les détourner. Travaille et tais-toi, à la limite va voter puis laisse-nous faire. Première ironie de l'histoire, Gabriel Attal est devenu ministre de l'éducation. La boucle est bouclée, on connaît son projet pour les petits français : ne pas former des citoyens mais des travailleurs dociles. Deuxième ironie : si seuls les travailleurs avaient voté, E. Macron n'aurait pas été élu. Il serait arrivé en troisième position, J.-L. Melenchon lui aurait raflé la mise. Mais E. Macron est le chouchou des retraités, ce qui lui confère un avantage démesuré puisque 80 % de cette population a voté aux présidentielles de 2022.

Au-delà de ces constats empiriques, des dispositifs institutionnels maintiennent la souveraineté populaire à distance ou créent des déséquilibres en termes de représentation. En effet, toutes les instances gouvernementales n'émanent pas du suffrage universel direct. En France, le Sénat est ainsi désigné au suffrage universel indirect suivant des modalités qui favorisent les milieux ruraux conservateurs. Il faut remonter aux origines de la IIIe République pour comprendre que cette institution a été pensée comme une Chambre haute, représentant les aristocraties foncières de province, et qu'elle fut une concession aux monarchistes. Aujourd'hui, le Sénat reste majoritairement composé d'élus de droite d'âge particulièrement élevé. Il constitue souvent une entrave aux progrès sociaux. Autre institution qui échappe au suffrage universel, la Commission Européenne voit ses membres nommés arbitrairement par les gouvernements de chaque pays. Ceci contribue à donner l'impression que l'Union Européenne est une entité extérieure à la souveraineté nationale et vient dicter ses lois de l'extérieur.

Pour conclure ce chapitre, nous constatons que le suffrage universel a exclu juridiquement les femmes et les peuples colonisés au nom de préjugés sexistes et racistes, et qu'il exclut encore aujourd'hui de fait les jeunes et les populations les plus défavorisées. Il en résulte que, si la façon dont sont présentés les chiffres masque ce fait, E. Macron ne représente pas la majorité des Français : seuls 20 % des inscrits ont voté pour lui au premier tour en 2022, soit un sur cinq. De plus, il représente surtout ceux qui ont encore une certaine foi dans le jeu électoral, soit les plus âgés et les plus riches. Or, si cette abstention massive est souvent lue comme une cause de la crise de la démocratie, elle n'en est en fait qu'un symptôme. Les élites ont beau jeu de fustiger l'abstentionnisme des classes dominées alors que nous verrons dans cet essai que les classes dominantes sont responsables de cette situation. Ils ne font rien pour enrayer le phénomène car ce retour au suffrage censitaire leur convient.

Le seul engagement politique valorisé est le vote, alors que la moitié des Français a déserté les urnes. Pourtant, l'abstention est un message politique, conscient ou non : l'absence de confiance dans les candidats prétendant au pouvoir. Cette réalité est camouflée par la non-prise en compte du vote blanc, comptabilisée comme de l'abstention donc comme du je-m'en-foutisme. De plus, les statistiques ignorent l'abstention et les votes blancs lorsqu'ils annoncent les résultats, pour ne pas écorner la légitimité du candidat élu. Les pourcentages sont en effet présentés sur la base des suffrages exprimés seulement et non sur la base de l'ensemble des inscrits sur les listes électorales. Ainsi, lorsque l'opposition s'exprime pendant le mandat d'un gouvernement, la réplique « vous avez perdu les élections » peut rester l'argument massue. Comme si être élu donnait carte blanche à tout et n'importe quoi pendant la durée du mandat. Pourtant, le récit selon lequel le Président de la République représente la volonté de la majorité n'est qu'une fiction. Arithmétiquement, 80 % des Français ne veulent pas d'E. Macron.

Voilà qui lève déjà une grande part du mystère de la victoire électorale d'un parti défavorable à la majorité. Ce n'est plus que le vote de 20 % des Français qu'il faut expliquer et non la majorité. Reste à savoir comment ces 20 % ont été conquis, pourquoi un parti favorable à la majorité ne l'a pas battu et pourquoi plus de la moitié des Français ne votent pas.

Or, les raisons de ne plus participer au jeu électoral ne manquent pas. Si les classes populaires ne se déplacent pas pour aller voter, c'est d'abord qu'elles ont le sentiment de n'être pas représentées.

Chapitre 2
En confisquant la parole publique et les fonctions politiques

Il faut avoir vécu dans cet isoloir qu'on appelle Assemblée nationale, pour concevoir comment les hommes qui ignorent le plus complètement l'état d'un pays sont presque toujours ceux qui le représentent.

P.-J. Proudhon, *Les confessions d'un révolutionnaire*, 1849

Parmi les personnes que l'on voit apparaître et s'exprimer à la télévision, on compte 60 % de cadres supérieurs contre 4 % d'ouvriers[1]. Cette représentation est en complet décalage avec la réalité sociale puisque les cadres apparaissent sept fois plus souvent qu'ils ne le devraient si le temps d'antenne était réparti en fonction de leur part dans la population. Comment donc défendre les intérêts des ouvriers et leur vision du monde dans l'opinion ? Pourtant, si la représentation des femmes et des

1 Voir le rapport sur la représentation de la société française dans les

minorités est interrogée, celle des différents groupes sociaux n'est jamais mise en question.

Cet écart de représentation est encore plus édifiant dans les institutions politiques nationales. Aucun ouvrier à l'assemblée et au gouvernement. Étonnant pour une démocratie qui se dit « représentative ».

Voilà qui renvoie aux débats de l'époque de la Révolution Française entre les partisans d'un gouvernement par le peuple dans son ensemble (idéal démocratique) et ses pourfendeurs qui proposent un gouvernement par les meilleurs en évoquant le critère de la compétence (vision des libéraux qui défendaient le suffrage censitaire). Le choix du suffrage universel en 1848 repose sur la souveraineté populaire, c'est-à-dire l'identité entre gouvernants et gouvernés. Les élus doivent être à l'image du peuple pour les représenter. Au nom du principe d'égalité, chaque citoyen a la même valeur indépendamment de sa position sociale.

Si cela ne recouvre aucune réalité aujourd'hui, cela n'a pas toujours été le cas : dans les années 45-70, le monde ouvrier pesait dans l'espace public grâce au parti communiste qui leur confiait des responsabilités politiques. Ainsi, les 2/3 des secrétaires fédéraux étaient ouvriers. Il leur donnait également une formation et une culture

---

médias audiovisuels remis au Parlement en juillet 2022

politique et leur permettait de participer à la vie citoyenne en jouant un rôle politique : réunions de cellules, rédaction et diffusion de journaux, action syndicale, engagement associatif et culturel… Nombreux ont été élus maires, d'autres députés voire ministres. Cela n'a pas empêché la France de connaître durant cette période le plus grand boom économique de son histoire. Depuis les années 80, nous ne pouvons que constater un retour à un suffrage censitaire de fait : les classes populaires s'abstiennent en masse et n'exercent à aucun poste de pouvoir politique.

La question de la prétendue compétence a totalement occulté la divergence d'intérêts. Si l'on admet qu'E. Macron a des compétences, il faut voir au service de qui il les met. Certainement pas au service de la majorité du peuple.

Le gouvernement actuel atteint des sommets en matière d'entre-soi aristocratique. On a pu reprocher par le passé aux hommes politiques d'être déconnectés du peuple parce qu'ils avaient fait l'ENA ou l'ENS. Mais aujourd'hui, c'est pire. On nomme ou fait élire aux postes de pouvoir des personnes dont le seul CV est d'avoir fait un lycée prestigieux car réservé aux grands bourgeois. Ainsi, G. Attal est passé par l'école alsacienne comme E. Macron. J.-M. Blanquer était élève au lycée Stanislas où il était DJ dans des rallyes[2] avec

---

2 Soirées mondaines dansantes organisées entre particuliers pour permettre à des jeunes de faire des rencontres au sein de leur milieu social bourgeois ou aristocratique

F. Baroin. On ne parle même plus d'élites intellectuelles mais d'élites économiques qui ont pour principal mérite d'être bien nées. Or, l'entre-soi bourgeois de ce gouvernement pose deux problèmes majeurs.

D'abord, ce gouvernement de privilégiés n'a aucun souci du bien commun. Pourquoi investir dans des services publics qu'ils ne fréquentent pas ? Il ne sont pas concernés, ni par l'hôpital public ni par l'école publique. Ainsi, Amélie Oudéa Castera, ministre de l'Education Nationale en 2024, a ses trois enfants dans le privé, au lycée Stanislas, parce qu'« *un paquet d'heures n'était pas remplacé* » dans l'école publique. Mettons de côté le fait qu'elle ait menti. Le fait qu'elle ait dit cela sans sourciller et que son prédécesseur, à ses côtés face à la presse, n'ait pas sourcillé non plus alors qu'il est responsable de nombreuses suppressions de postes d'enseignants, montre le dédain qu'ils ont pour ceux qui vont à l'école publique. Imagine-t-on Elon Musk cracher sur les Tesla et leur préférer publiquement les Mercedes ? Imagine-t-on Steve Jobs cracher sur les Iphone et avouer qu'il n'emploie pour sa part que des Nokia ? La ministre de l'Education Nationale n'a, quant à elle, aucun problème à assumer qu'elle fait du mauvais travail mais que cela l'indiffère puisque ce n'est pas pour elle. Oui, nous saccageons l'école de la République mais nous la fuyons. Nous sauvons nos propres enfants avec des stratégies de fuite. Cette séquence lunaire met au jour une situation qui perdure depuis des années. Luc Chatel, François Bayrou,

Luc Ferry, Vincent Peillon, Pap N'Diaye : tous ces ministres de l'Education Nationale plaçaient leurs enfants dans le privé, même lorsqu'ils étaient en exercice. Quant à G. Attal, il n'a pas d'enfants mais il n'avait jamais mis un pied dans l'école publique avant d'en être ministre. Le séparatisme des bourgeois est tel qu'ils n'ont aucun sens du commun. Le service public ne représente pour eux que des dépenses à réduire. À l'inverse, ils adorent détourner l'argent de l'Etat pour le réserver à des gens de leur caste. Ainsi, V. Pécresse, non contente de verser au lycée Stanislas les 1 400 000 euros obligatoires en 2024 (ce qui peut déjà laisser perplexe), a décidé de lui accorder une rallonge de 400 000 euros, toujours avec les deniers des franciliens[3].

Si les services publics ne les concernent pas, ils sont en revanche plus impliqués dans la bonne santé des entreprises du CAC40, du point de vue des actionnaires. Ainsi, pour rester sur l'exemple d'A. Oudéa Castera, elle a occupé un haut poste de direction chez l'assureur Axa puis chez Carrefour et détient des actions chez ces deux entreprises mais aussi chez LVMH, Air Liquide, Vinci, ArcelorMittal, Orange, Saint Gobain et Danone, le tout pour une valeur supérieure à 2,6 millions d'euros[4]. Elle a aussi siégé aux conseils d'administration de Plastic Omnium dont le PDG

---

3 *Libération*, le 18 janvier 2024, « Dérives subventionnées avec l'argent public : l'enseignement privé hors de contrôle », Marie Piquemal

4 *Mediapart,* le 1 février 2024, « Amélie Oudéa-Castéra est bien le « symbole d'une caste de privilégiés »,

est président de l'Afep (Association Française des Entreprises Privées), puissant lobby patronal. Il faut ajouter à ces intérêts privés le fait que son mari dirige le groupe pharmaceutique Sanofi, tout en étant administrateur du géant du conseil Capgmini, après avoir été à la tête de la Société Générale pendant près de 15 ans.

Le cas d'A. Oudéa Castera n'est pas isolé. Selon la Haute Autorité pour la Transparence de la Vie Publique, plus de la moitié des ministres du gouvernement Attal sont multimillionnaires. Ils accumulent biens immobiliers, contrats d'assurance-vie, actions…

Imaginons que, bien que non concernés et déconnectés du peuple, bien que partie prenante dans les structures de domination, nos gouvernements aristocratiques soient de bonne volonté pour réaliser le bien commun. Cela demande il est vrai une imagination débordante, au vu de ce que l'on constate au quotidien, mais prêtons-nous à l'exercice. Seraient-ils les mieux placés pour prendre des décisions pour le plus grand nombre alors qu'ils ne partagent rien avec eux ? La ministre de l'Education Nationale, qui est interpellée par des jeunes qui portent des baskets, est-elle la mieux placée pour prendre en charge la jeunesse ? Elle a beau avoir fait l'Ecole Nationale de l'Administration (ENA), une école certes très sélective, est-elle la mieux à même de décider pour des gens qu'elle n'a jamais côtoyé ? On ne parle même pas de marges de la société, tout Paris porte des baskets. Elle semble même ne jamais avoir marché dans la rue à deux pas de chez elle. Elle vit et a été élevée totalement hors-sol. Le fait d'évoluer dans un microcosme très fermé, dans un périmètre géographique et social très resserré, va forcément limiter la pertinence de ses prises de décision qui sont censées s'appliquer à tout un pays avec la diversité sociale qui le compose. Quand on n'a jamais quitté son milieu social, on prend pour vérités générales ce qui ne relève que des conventions sociales de son groupe d'appartenance. On ne peut pas comprendre les goûts et les besoins de gens d'autres milieux lorsqu'on vit en vase clos. Ainsi, en matière de gouvernance, c'est la diversité sociale qui fait la richesse des délibérations. Le gouvernement le plus compétent n'est pas celui où l'on additionne les gens les plus intelligents (ce qui n'est d'ailleurs ostensiblement pas le cas), c'est celui où la société est représentée dans sa diversité. L'intelligence collective, c'est quelque chose de plus que la somme des intelligences individuelles qui la compose, c'est une vision globale qui émerge du fait d'embrasser différents points de vue. Or, ce gouvernement, plus que jamais, n'adopte qu'un seul point de vue : celui des 1 % les plus riches. Ils ont fait sécession, ils vivent dans une société parallèle hermétiquement fermée et ils prétendent à gouverner l'ensemble des Français.

Si la démocratie est, suivant la définition du philosophe Jacques Rancière que je fais mienne, « *le pouvoir de ceux qui n'ont aucun titre particulier à l'exercer* »[5], alors nous sommes en fait dans une oligarchie. La société serait scindée entre ceux qui sont aptes à gouverner et les inaptes qui ne seraient bons qu'à être gouvernés. Oligarchie élective certes, mais oligarchie tout de même. Par quelles stratégies ces oligarques parviennent au pouvoir et perpétuent la défense de leurs intérêts malgré le suffrage universel ?

Pour éviter l'accaparement des postes de pouvoir par les plus riches et les plus puissants, les inventeurs de la démocratie à Athènes avaient une solution : le tirage au sort. Voilà un procédé qui pourrait s'avérer plus égalitaire. En attendant, le contrôle de la parole publique par les puissants leur assure un quasi-monopole sur la formation de l'opinion publique et donc un rôle déterminant sur les votes.

---

5 Jacques Rancière, *La haine de la démocratie*, La Fabrique, 2005

Chapitre 3
En contrôlant l'opinion pour influencer les votes

Nous devions aller voter ensemble au bourg de Saint-Pierre, éloigné d'une lieue de notre village. Le matin de l'élection, tous les électeurs (c'est-à-dire toute la population mâle au-dessus de vingt ans) se réunirent devant l'église. Tous ces hommes se mirent à la file deux par deux, suivant l'ordre alphabétique ; [...] ; je sus qu'on désirait que je parlasse. Je grimpai donc sur le revers d'un fossé, on fit cercle autour de moi et je dis quelques mots que la circonstance m'inspira. Je rappelai à ces braves gens la gravité et l'importance de l'acte qu'ils allaient faire ; je leur recommandai de ne point se laisser accoster ni détourner par ceux, qui, à notre arrivée au bourg, pourraient chercher à les tromper ; mais de marcher sans se désunir et de rester ensemble, chacun à son rang, jusqu'à ce qu'on eût voté. Ils crièrent qu'ainsi ils feraient, et ainsi ils firent. Tous les votes furent donnés en même temps, et j'ai lieu de penser qu'ils le furent presque tous au même candidat (NDLR : à Tocqueville). Aussitôt après avoir voté moi- même, je leur dis adieu, et, montant en voiture, je repartis pour Paris.

Alexis de Tocqueville, *Souvenirs,* 1893

L'éditorialiste est un tuteur sur lequel le peuple, comme du lierre rampant, peut s'élever. Les Français doivent renoncer à leur cinquième semaine de congés payés.

Christophe Barbier, *le JDD*, 14 avril 2017

À l'époque de Tocqueville, c'est-à-dire lors du premier exercice du suffrage universel en 1848, l'influence des élites sur le petit peuple rural passait par des relations d'interconnaissance. Comme un ultime héritage de la féodalité, les aristocrates ordonnaient à leurs ouailles des consignes de vote dans leurs provinces respectives.

Aujourd'hui, les élites n'ont même plus besoin de quitter Paris pour donner leurs consignes et expliquer au peuple à quoi ils doivent renoncer. Les moyens de communication et d'information permettent d'influer sur les opinions à distance. Les journaux commencèrent à être efficients pour communiquer avec les classes populaires au tournant du XXe siècle grâce à la scolarisation mise en place par la IIIe République mais ils permettaient alors une pluralité d'opinions. Le journal *L'Humanité*, par exemple, fut fondé par Jean Jaurès en 1904 et connut très vite un réel succès. Jusque dans les années 70, la presse était globalement pluraliste : trois journaux affiliés au communisme tiraient à 2,3 millions d'exemplaires en 1945, *le Nouvel Observateur* n'hésitait pas à s'opposer au pouvoir et dénonçait la guerre d'Algérie dès 1955 en publiant l'article « Votre Gestapo d'Algérie ».

Aujourd'hui, le paysage médiatique est frappé d'unanimisme, que ce soit la presse écrite, radiophonique ou la télévision (le cas d'internet est ici non cité car il suit une logique propre et personnalisée en fonction de l'utilisateur). Avec la professionnalisation du métier de journaliste, le journalisme d'opinion a laissé la place à un journalisme dit d'information mais derrière le visage de la neutralité se cache la sacralisation de l'ordre établi que l'on se refuse à remettre en cause.

Pourquoi cette unanimité pour soutenir l'ordre établi et le capitalisme néolibéral ? Car, à l'heure du néolibéralisme, la logique économique s'impose aux médias et ce sont donc les dominants qui ont le contrôle de l'information. Pas les élites intellectuelles non, ni même les élites politiques. Mais les élites économiques. Ainsi, Bernard Arnault possède *les Echos, Radio Classique, le Parisien, Aujourd'hui en France*. Xavier Niel détient 6 quotidiens de presse régionale, *Le Monde, Courrier International, Télérama, Huffington Post, l'Obs*. Patrick Drahi détient *RMC, BFM, Libération, I24.* Les autres grands patrons de presse peuvent être comptés sur les doigts: Lagardère, Bolloré, Bouygues, Saadé, Kretinsky. La concentration médiatique atteint des proportions jamais atteintes jusqu'alors : neuf milliardaires détiennent 90 % de la presse généraliste nationale vendue en kiosque, 55 % des parts d'audience télé et plus de 40 % des parts d'audience radio.

Or, le propriétaire influe largement sur les biais politiques de son média. Si jamais certains en doutaient, une thèse[6], basée sur une étude approfondie des notices de l'INA sur plusieurs décennies, l'a prouvé l'an dernier. En effet, l'économiste Moritz Hengel y démontre que les journalistes qui exercent sur plusieurs médias s'adaptent à la ligne éditoriale de chaque média concernant le choix du bord politique de leurs invités, ce qui prouve que les biais politiques des journalistes pèsent moins que ceux de leur employeur. Cela pose sérieusement problème : la liberté de la presse, n'est-ce pas d'abord la liberté des journalistes ? L'étude de Moritz Hengel montre aussi qu'après la prise de contrôle de V. Bolloré sur Vivendi, les chaînes du groupe (Canal +, C8, Cnews) ont commencé à privilégier les invités de droite (+5.5 points) au détriment de ceux de gauche (-6.8 points). Rappelons que V. Bolloré est aussi celui qui a mis fin aux *Guignols de l'Info*, émission satirique qui avait abondamment moqué N. Sarkozy durant sa campagne de 2012 contre F. Hollande. Plus récemment, après la prise de contrôle du *Journal Du Dimanche (JDD)*, le célèbre patron de presse a imposé comme rédacteur en chef G. Lejeune,

---

6 Moritz Hengel, « L'économie politique de la production et de la consommation des médias en France », thèse, dir. Julia Cagé, Sciences Po Paris, 2023

transféré depuis le magazine d'extrême-droite *Valeurs Actuelles.* Ce dernier a affiché la couleur dès sa première une puisqu'il a choisi d'y mettre en lumière l'assassinat du jeune Enzo, poignardé. Le genre de fait divers abominable que la presse de droite aime à mettre en avant pour diffuser un sentiment d'insécurité. Pour l'anecdote, notons que G. Lejeune a choisi pour illustrer cette couverture une photographie erronée qui était en fait issue d'une marche blanche en l'honneur d'un autre Enzo, mort d'un accident de la route. Or, ce n'était pas les voitures que le nouveau rédacteur en chef voulait dénoncer… Nous pourrions continuer ainsi des heures avec V. Bolloré, personnage particulièrement médiatique et très analysé. Toutefois, il n'est que la partie émergée de l'iceberg. Beaucoup de médias ont déploré sa main basse sur le *JDD* mais ils déplorent des effets dont ils chérissent les causes. L'accaparement des médias par les milliardaires ne dérange nos élites que quand ce milliardaire a un avis légèrement dissident. Or, si V. Bolloré fait tout cela, c'est parce qu'il le peut. Le problème n'est pas qu'il le fasse : il défend son idée du catholicisme et ses intérêts financiers. Le problème, c'est qu'il le puisse : aucune loi ne le limite. Ce n'est donc pas une question personnelle liée à cet homme qu'il faut régler mais la question plus globale de l'accaparement des médias par des milliardaires qui prennent le contrôle de leurs lignes éditoriales. Le JDD a été particulièrement pleuré parce qu'il est passé de pravda macroniste à magazine réactionnaire mais le problème reste le même dans un cas comme dans l'autre. C'est à se demander si le glissement réactionnaire d'E. Macron n'est d'ailleurs pas pour lui un moyen de s'allier le dernier grand patron de presse qui ne lui est pas acquis. Toujours est-il que la formule attribuée à Voltaire « *Je ne suis pas d'accord avec ce que vous dites mais je me battrai jusqu'à la mort pour que vous puissiez le dire* » ne suffit pas en matière de liberté de la presse. Il faudrait ajouter son corollaire : « *Je suis d'accord avec ce que vous dîtes mais je me battrai jusqu'à la mort pour que vous ne soyez pas le seul à parler.* »

Malgré le poids considérable de l'actionnariat, il ne suffit pas à rendre compte de la prégnance du grand capital dans l'information de masse. Les investissements publicitaires ont également un impact fort dans la ligne éditoriale. Ainsi, selon la journaliste Maureen Grisot[7], le groupe Havas, contrôlé par Vincent Bolloré, a retiré 16 millions d'euros de contrats publicitaires au journal *Le Monde* suite à son article sur le monopole contesté de V. Bolloré sur le port d'Abidjan. La direction du journal confirme ce retrait immédiat des annonceurs mais nie que la série d'été méliorative « Bolloré à la conquête de l'Ouest », publiée quelques temps après, soit un rattrapage. Toujours est-il que l'article suivant de Maureen Grisot, très critique envers un

---

7 Interviewée dans le documentaire *Media Crash* produit par Mediapart en 2022

chemin de fer réalisé par l'entreprise de V. Bolloré en Afrique, n'a jamais été publié par le journal.

> *« Ferme ta gueule », « on ne mord pas la main qui nous nourrit »*
>
> Cyril Hanouna

Le sage animateur de C8, chaîne contrôlée par Vincent Bolloré, a formulé on ne peut plus clairement la situation au député Louis Boyard qui critiquait l'action de son patron en Afrique. Il a tout de même invité un député LFI, me direz-vous…

Mais cette illusion de pluralisme permet simplement de générer du clash pour faire de l'audimat et surtout permet de mieux hameçonner les téléspectateurs récalcitrants au néolibéralisme afin de les persuader de changer d'avis. Impossible pour l'invité de faire dévier la ligne éditoriale : la personnalité de gauche qui se rend sur Cnews est comme un poisson qui se laisserait pêcher afin de dévier un chalutier en gigotant vers la gauche. Les médias imposent leurs questionnements, leurs dispositifs, leur angle. Or, le choix d'une question véhicule déjà une opinion. Ainsi, le jour du clash entre Louis Boyard et Cyril Hanouna, le sujet de discussion était clairement circonscrit, c'est-à-dire « faut-il accueillir les 242 migrants de l'Ocean Viking ? ». Louis

Boyard a tenté de détourner l'émission en infiltrant son sujet « Y a-t-il un lien entre le pillage de ressources par les Occidentaux et les migrations des Africains vers l'Europe ? ». Il a brisé le pacte, c'est-à-dire que les questionnements doivent rester de droite et surtout ne pas incriminer le boss. Son avis sur l'Ocean Viking est là pour apporter une fausse contradiction mais tout est fait pour lui donner tort. D'abord, il est noyé au milieu de chroniqueurs qui portent majoritairement l'avis contraire. Ensuite, le nombre de migrants est mis en exergue comme une menace dans la question inscrite sur un bandeau durant tout le débat. Enfin, un sondage censé représenter l'avis des Français lambda montre que 90 % des Français sont contre l'accueil du bateau. Ce sondage n'a aucune valeur scientifique puisque non basé sur un panel représentatif. En réalité, il révèle simplement que les téléspectateurs de Hanouna sont xénophobes, tendant un miroir à une émission qui l'est aussi[8]. Sylvain Grandserre, lui-même ex chroniqueur de gauche dans l'émission « Les Grandes Gueules » sur *RMC*, dénonce les mêmes mécanismes sur son blog Mediapart[9]. Malgré sa détermination, il avait grand peine à faire face au dispositif déployé contre lui : sujets abordés (fraudes à la Caf) ou au contraire ignorés (révélations sur l'exil fiscal de

---

8 Voir à ce sujet les travaux de l'historienne Claire Sécail. Elle révèle que sur le deuxième semestre 2021, 50% du temps d'antenne dévolu aux politiques sur TPMP l'a été pour l'extrême-droite.

9 *Mediapart Le Club*, le 28 mars 2021, « L'instit des grandes gueules. Souvenirs d'un prof dans les médias. », Sylvain Grandserre

Patrick Drahi, propriétaire de la chaîne), déséquilibre du temps de parole en faveur de la droite, auditeurs « lambda » soigneusement sélectionnés en amont pour dire tout haut ce que le patron pense tout bas, etc…

Ainsi, le grand capital s'immisce dans la majorité des médias soit par l'actionnariat, soit par les contrats publicitaires. Cette logique publicitaire donne une puissance de diffusion plus importante aux journaux concernés car elle pourra faire baisser le prix de vente, jusqu'à la gratuité pour le *20 minutes*. Mais elle rend ces journaux plus dépendants.

On peut donc formuler une loi générale : moins une information est indépendante, plus elle vous arrivera facilement entre les mains, devant les yeux ou dans les oreilles.

C'est ainsi que l'information de mauvaise qualité se diffuse plus vite et que, sous couvert de neutralité, tous ces acteurs ont intérêt à la diffusion de la doctrine néolibérale qu'ils sont parvenus à imposer depuis les années 80.

Prétendre à la neutralité place par ailleurs celui qui conteste ou présente une autre interprétation du réel dans le camp des idéologues.

Ma mère dit que la télé, ça rend idiot.

— Non, la télé ça rend normal.

Malcolm[10]

Selon la "cultivation theory", la fonction principale des moyens de communication de masse est de façonner les perceptions, les attitudes, les valeurs et les comportements des sujets. Ainsi, le terme « mainstream » a un réel fondement scientifique. Il se réfère au processus d'homogénéisation des perceptions, des attitudes et des valeurs du public suite à l'exposition aux messages, en particulier ceux véhiculés par les programmes de télévision.

Contrairement à ses prétentions, la télévision ne permet pas de se forger des opinions, elle les neutralise. Elle annihile les idées.

L'homogénéisation est proportionnelle à la quantité d'exposition : plus les spectateurs sont assidus à la télévision, plus les différences d'attitude qui distinguent habituellement les différences groupes sociaux s'estompent. L'exposition réduirait donc les divergences d'opinion. C'est pourquoi le sociologue George Gerbner considérait que l'opinion politique elle-même était canalisée par la télévision. Et on observe effectivement que plus l'audience

[10] Le personnage éponyme de la série TV s'adresse ici à son ami Stevie dans l'épisode 1 de la saison 1.

visée est large et hétérogène, moins les messages sont « dérangeants », plus on développe une argumentation consensuelle, médiane, que l'on prétendra alors « non-idéologique ». Il s'agit en fait de ne pas heurter l'idéologie dominante.

Les personnes qui regardent souvent la télévision ont moins tendance à être politiquement extrêmes et adoptent davantage une pensée convergente que ceux qui la regardent moins.

Ainsi, les médias *mainstream* imposent la façon de penser de la haute bourgeoisie néolibérale en imposant leur vocabulaire. La valeur ajoutée du travailleur est appelée paradoxalement « coût du travail », les cotisations sociales sont appelées « charges », la demande d'emploi du patron est appelée « offre d'emploi » comme si c'était l'entreprise qui rendait service au travailleur qu'elle exploite, les licenciements de masse sont appelés « plans sociaux » dans un doux euphémisme qui laisse presque rêveur, la lutte raisonnable de travailleurs qui défendent leurs intérêts est appelée avec mépris une « grogne » comme s'il s'agissait d'une réaction émotionnelle injustifiée et vouée d'emblée à l'échec, le mot de solidarité qui justifiait les aides sociales est remplacé par celui d'« assistanat » pour les disqualifier, les assassins islamistes sont appelés « terroristes » tandis que les assassins d'extrême droite, pour un fait similaire, sont qualifiés de « déséquilibrés »…

George Orwell avait bien souligné dans *1984* l'importance du choix du vocabulaire qui a la capacité de restreindre la pensée et de la canaliser. La *novlangue* est un instrument de domination. Aujourd'hui, c'est le vocabulaire libéral qui s'est imposé dans les médias et, par leur biais, dans l'opinion.

Si les milliardaires investissent dans la presse, dans la majorité des cas à perte, c'est qu'à défaut de gains directs par la vente des journaux, ils espèrent un retour sur investissement en termes d'idées véhiculées. Pour comprendre leurs motivations, il faut faire un détour par les États-Unis au début du XXe siècle. Depuis la fin de la Première Guerre mondiale, les entreprises sont *« conscientes de la conscience collective »* et ont recours à l'*« ingénierie du consentement »*, pour reprendre les termes de celui qui se présentait comme le premier théoricien des conseils en relations publiques dans son ouvrage *Propaganda* en 1928[11]. *« Il y a vingt ou vingt-cinq ans, les entreprises cherchaient à conduire leurs propres affaires sans tenir compte du public »,* ajoutait ensuite Edward Bernays. *« La réaction en fut la période des fouille-merde, pendant laquelle les entreprises furent accusées d'une multitude de péchés, de façon juste ou injuste. Face à l'éveil d'une conscience collective, les grandes sociétés durent renoncer*

---

11 Cité dans Sandrine Aumercier, « Edouard Bernays et la propagande », Revue du Mauss n°30, 2007

à soutenir que leurs affaires ne regardaient personne. Si à l'heure actuelle les entreprises essayaient d'étrangler le public, une nouvelle réaction semblable à celle d'il y a vingt ans aurait lieu et le public se lèverait et tenterait d'étrangler les grandes entreprises avec des lois restrictives. » Bernays faisait ici référence à la « muckracking era », période s'étendant des années 1890 aux années 1930, où des écrivains et journalistes (les fameux « fouille-merde » ou muckrackers en anglais) ont enquêté et révélé des scandales sur un vaste éventail de sujets allant du conditionnement de la viande aux pollutions en passant par les conditions de travail dans l'agriculture et l'industrie. Le retentissement de ces affaires avait conduit le gouvernement à réagir avec des lois et normes contraignantes pour les entreprises dans le domaine social, sanitaire et environnemental. Pour éviter que les « fouille-merde » ne ternissent l'image des grandes entreprises, ces dernières eurent donc recours à des *press agents* pour soigner leur réputation auprès du public. Par exemple, John D. Rockfeller Jr fit appel aux services du *press agent* Icy Lee pour justifier la répression féroce d'une grève dans la Colorado Fuel and Iron Company. Or, ce dernier parvint à retourner l'opinion en publiant notamment ses bilans en termes d'imposition, de masse salariale et d'emplois. Aujourd'hui, il n'y a plus une entreprise qui fait l'économie d'un service de relations presse pour faire le lien avec les médias. Mais rien de tel que de racheter ces médias pour réellement peser sur l'opinion publique. Ainsi, il ne s'agit plus seulement pour ces milliardaires de valoriser leur entreprise personnelle mais plus globalement de véhiculer tout le système de valeurs néolibéral qui leur est favorable. Glorification des grands actionnaires et patrons qui « prennent des risques » pour « créer de l'emploi », installation du mythe de la méritocratie pourtant débouté par la sociologie tout en faisant paradoxalement campagne contre quiconque voudrait s'attaquer à l'héritage, éloge de la liberté d'entreprise et du libre-marché, stigmatisation des syndicalistes et des écologistes, etc…

Force est de constater que ces discours ont largement infusé dans l'opinion alors que les patrons étaient très impopulaires dans les années 30. En France, ce récit s'est imposé progressivement depuis les années 80. À la mort de Steve Jobs, le Figaro adopte tous les éléments de langage associés à ces figures patronales : *« L'emblématique entrepreneur laissera au monde l'image d'un gourou du marketing aux innovations révolutionnaires. Quelle trace a laissé Steve Jobs ? Qui reprendra le flambeau laissé par le visionnaire d'Apple ? ».* Cette héroïsation de l'entrepreneur érigé au rang de génie sert un discours de non-redistribution des richesses : Steve Jobs est *« visionnaire »* et ses *« innovations »* sont *« révolutionnaires ».* Les années 60 avaient Che Guevara, nous avons Steve Jobs. Même *Libération*, journal dit de gauche, rend hommage au défunt entrepreneur sur sa une avec une pomme versant une larme sur une page noire. La pomme de *Libération* pleure Steve

Jobs tandis qu'elle n'avait pas été aussi affectée un an plus tôt par les révélations sur les conditions de travail de l'usine *Foxconn* en Chine, tellement déplorables qu'Apple avait fait mettre des filets aux fenêtres pour limiter les suicides. Choisir de pleurer l'entrepreneur qui meurt d'une maladie plutôt que les salariés chinois qui meurent de leurs conditions de travail, cela sert un discours de classe qui prépare les esprits à l'accaparement des richesses.

Prêtons-nous à un petit test. Avez-vous davantage entendu parler de Bernard Arnault lorsqu'il a répondu à l'appel au don des Restos du cœur ou lors des *OpenLux* qui révélaient qu'il détenait 31 sociétés et 24 filiales de LVMH au Luxembourg, un paradis fiscal ? Avez-vous davantage entendu parler des bonus écologiques pour les voitures électriques, estimés à 1 milliard d'euros en 2021, ou des subventions à l'énergie fossile, estimées à 18 milliards d'euros en 2022 ? Avez-vous davantage entendu parler de l'assassinat de Thomas à Crepol par un groupe de jeunes supposément racisés ou des 40 000 personnes par an qui meurent de la pollution de l'air par des particules fines ? Citez-m'en simplement une. D'ailleurs, lorsque vous entendez « écoterrorisme », est-ce que cela désigne les entreprises génératrices de ces pollutions ou les militants qui couvrent de peinture les vitres des tableaux dans les musées ?

Les médias fixent les frontières du supportable et de l'insupportable, de ce qui est acceptable et de ce qui doit nous indigner. Ces frontières sont fixées selon une logique de classe. Le député LFI Aurélien Saintoul en a fait les frais lorsqu'il a voulu mettre en lumière l'augmentation du nombre de morts au travail dans une adresse au ministre du Travail O. Dussopt à l'Assemblée. « *La réalité, c'est que vous avez supprimé les CHSCT [comité d'hygiène, de sécurité et des conditions de travail] et que depuis cette suppression, en moyenne, ce sont 150 morts de plus au travail par an. Si vous aviez une conscience, ce dont je doute, vous auriez 150 morts sur la conscience. La réalité, c'est qu'il y a du sang sur votre politique et vous n'y prenez pas garde. La réalité, c'est que vous êtes des êtres violents parce que vous avez fait le choix de la violence de classe.* » lançait-il dans une première interpellation avant de poursuivre « *Vous avez la responsabilité de ces choix politiques. Vous êtes un imposteur et un assassin.* ». La levée de bouclier pour défendre O. Dussopt s'étendit alors du Rassemblement National au Parti Communiste. Le corporatisme dépasse les clivages politiques. Les élus causent des violences mais il ne faut pas que celles-ci ricochent sur eux. Le traitement médiatique, dans la droite lignée, ne s'intéressa à O. Dussopt que comme personne invectivée mais jamais comme personne responsable. Aussi, l'ensemble des médias télévisuels se focalisèrent sur le mot « assassin » qui fut abondamment commenté, décontextualisé et condamné sans que l'on interroge son bien-fondé. Mais personne ne s'arrêta sur le fond du propos qui dénonçait l'augmentation du nombre d'accidents du travail et le mettait en lien avec la politique gouvernementale. 903 morts au travail en 2022 pour 733 en 2019. Ce sont les chiffres de la Caisse Nationale d'Assurance Maladie qui ne concernent que les salariés du privé : il faudrait y ajouter les fonctionnaires, les auto-entrepreneurs ou encore les agriculteurs. Ne parlons même pas des sans-papiers. Avec 3.5 morts pour 100 000 salariés, la France arrive en tête de l'Union Européenne dont le ratio est deux fois plus bas en moyenne (avec des modalités de calcul différentes suivant les pays). Quels médias s'arrêtent sur ces chiffres ? Jeudi 10 août 2023, un intérimaire âgé de 70 ans est décédé en chutant dans l'escalier qu'il était en train de réparer lors d'une opération de maintenance. En septembre, quatre vendangeurs sont morts en Champagne sous le soleil de plomb de ce mois caniculaire. Quels médias s'arrêtent sur ces histoires ? Des histoires d'ouvriers, d'agriculteurs, d'éboueurs. La violence verbale qu'a subi O. Dussopt heurte la presse et la classe politique, mais quid de la violence physique qu'ont subi ces travailleurs ? Quelle est la part causée par la loi Travail, par la suppression des CHSCT, par la hausse de l'âge du départ à la retraite ? Aucun média ne posera la question de la violence de la politique de dérégulation du travail durant la séquence, tous affairés à dénoncer la « violence » de ce député LFI.

Empathie à géométrie variable. Selon que vous serez puissant ou misérable, les jugements de presse s'étaleront sur vos souffrances ou les condamneront à l'invisibilité. Le député A. Saintoul fut sanctionné d'un rappel à l'ordre et d'une retenue sur salaire. Il a dû s'excuser publiquement de ses propos. O. Dussopt n'ira jamais s'excuser devant les orphelins dont les parents sont morts au travail. Rien de plus politique que nos sujets d'indignation, rien de plus socialement situé aussi. Or, les médias nous imposent les sujets d'indignation de la droite et de la grande bourgeoisie.

Les conditions économiques de la production de l'information affectent donc la hiérarchie de l'information. Elles affectent également la production même de ces informations puisque le journalisme d'investigation se fait de plus en plus rare et il est principalement le fait de médias indépendants des pouvoirs économiques : *Mediapart, le Canard Enchaîné* ou encore *Disclose*. Tiens donc ? Les journaux d'où viennent toutes les révélations sur les scandales d'Etat, les fraudes et corruptions des élites sont ceux qui échappent au contrôle des actionnaires milliardaires.

L'élection d'E. Macron est le résultat de toutes ces dynamiques. Libéral, ex-banquier chez Rothschild, n'hésitant pas à donner dans le mépris de classe, responsable de la loi sur la dérégulation du travail, E. Macron n'a rien pour plaire au travailleur en 2017. Sa ligne politique libérale n'est favorable qu'aux 1 % les plus riches. Pourtant, il a été élu à la présidence de la République. Pourquoi donc ?

La sélection de unes ci-dessus (représentative et très loin d'être exhaustive) est un élément de réponse. Les unes mélioratives à l'égard du candidat se sont multipliées, les journaux rivalisant d'adjectifs favorables pour le qualifier alors qu'il n'avait même pas encore présenté au peuple son programme. Nul doute que certaines personnes bien placées le connaissaient déjà, puisque, nous le verrons, ils n'ont pas hésité à jouer un billet sur lui.

Pour les autres, ce que les spécialistes appellent « l'effet de simple exposition » a suffi.

Entre le 1er janvier 2015 et le 1er janvier 2017, en additionnant *l'Obs, l'Express et le Monde*, 6400 articles mentionnent E. Macron alors que B. Hamon, A. Montebourg et J.-L Melenchon ne bénéficient à tous les trois réunis que de 5 780 mentions. La différence entre ces candidats ? Les trois derniers avaient un programme de gauche. Selon les études chiffrées de Thomas Guénolé[12], le matraquage publicitaire massif autour du candidat a engendré une véritable « bulle médiatique » facilement mesurable : durant le printemps et l'été 2016, Emmanuel Macron a recueilli 43 % de part de voix dans les parutions des médias, contre 17 % sur les réseaux sociaux. La différence entre les deux sources ?

L'une est sous la direction de milliardaires, l'autre est plus représentative du peuple dans son ensemble, mais la première a une puissance de diffusion nettement supérieure à la seconde.

X. Niel résume le sentiment partagé par de nombreux patrons : *« Dans les bons milieux parisiens, il est adoré* (…). *J'aime bien Emmanuel pour son côté volontariste et libéral ». Le Monde* a l'air particulièrement en accord avec son actionnaire principal. Dès 2015, la journaliste Ariane Chemin nous y explique que *« devenu l'un des plus populaires du gouvernement, il incarne un rêve dans la*

12 *L'Obs.fr*, le 20 février 2017, « La bulle Macron, un matraquage publicitaire massif », Interview de Baptiste Legrand

déshérence de la gauche »[13]. À la veille des élections de 2017, Arnaud Leparmentier, directeur adjoint des rédactions et éditorialiste, s'enthousiasme dans une chronique pour E. Macron qui détiendrait *« la recette raisonnable [...] pour redresser l'État social français »*[14]. Il précise : *« Macron est de gauche : il suffit pour s'en convaincre de lire le programme de François Fillon* [ndlr : on aurait eu du mal à s'en convaincre avec le programme d'E. Macron qui n'existait pas] [...] *Il est démocrate, libéral en économie et sur les sujets de société. Il prétend incarner la vraie gauche, celle qui cherche à atteindre l'égalité en faisant entrer la liberté dans la maison des pauvres. Une gauche morale, au moins autant que celle des frondeurs parce qu'elle est orientée sur les résultats et pas fondée sur des discours bien-pensants mais inopérants. »* Cette analyse, avec le recul, ferait se gausser n'importe qui : le candidat de l'égalité alors qu'il a appauvri les pauvres et enrichi les riches ; le candidat démocrate alors que sa première ministre a multiplié les 49.3 au Parlement et que son ministre de l'Intérieur mène des politiques de répression féroces face aux manifestants ; la «*gauche morale* » alors qu'un gouvernement n'a jamais compté autant de mis en examen ; celui qui va « *redresser l'Etat social* » alors qu'il réduit les

---

13 *Le Monde*, le 12 novembre 2015, « Le fantasme Macron », Ariane Chemin et Raphaëlle Bacquet

14 *Le Monde*, le 1 mars 2017, « Macron, la troisième voie », Arnaud Leparmentier

prestations sociales, désosse les services publics et supprime deux ans de retraite ; « *libéral sur les sujets de société* » alors qu'il s'avère particulièrement conservateur et que son gouvernement comporte par exemple cinq ministres qui s'étaient opposés au Mariage pour tous. À l'époque, l'accumulation des discours médiatiques de ce genre a pourtant réussi à faire passer des vessies pour des lanternes. Un mot doit retenir notre attention, celui de « *raisonnable* », terme préféré des journaux pour disqualifier les programmes qui déplaisent aux classes dominantes, rangés par défaut dans le camp du « déraisonnable ». Ainsi, A. Leparmentier consacrait dans le même article une sous-partie à B. Hamon intitulée avec nuance « *le parti de la faillite* » : « *Ce dernier a ouvertement rejoint le parti de la faillite, en estimant que « nous pouvons tout à fait renégocier » « la dette vis-à-vis des banquiers ». Par cette déclaration, Hamon et le PS renoncent à être parti de gouvernement.* ». Tout est dit : celui qui dérange les banquiers renonce à accéder au gouvernement. Il ajoute : *« On attend la guérilla melenchono-hamonienne pour vendre les nouvelles lunes – le revenu universel, le non-remboursement des dettes, les 32 heures, le néoprotectionnisme. « Ce poison populiste, à effet lent, va continuer de se distiller, y compris après les élections. On n'est pas sorti de l'auberge », déplore Denis Kessler, patron du groupe Scor. »* Nous attendions tous l'avis du patron de Scor, une compagnie d'assurances (intéressant que ce ne soit pas précisé, le journaliste voulant simplement partager sa propre opinion en la plaçant dans la bouche de quelqu'un d'autre), pour savoir qui de B. Hamon, de J.-L. Melenchon ou d'E. Macron était le candidat légitime de la gauche… Les classes dominantes se réservent le droit de déterminer qui représente la « *vraie gauche* », c'est-à-dire celle qui est de droite. Celle qui, dans le cas d'espèce, défend les intérêts particuliers du locuteur puisque nous comprendrons au chapitre 9 pourquoi les compagnies d'assurances étaient si intéressées par l'arrivée d'E. Macron au pouvoir. Cet article est un modèle des méthodes médiatiques employées pour disqualifier les candidats de gauche en distillant la peur, employant le terme de « *faillite* » et celui de *« guerilla »,* les associant au danger et à la violence alors qu'ils souhaitent prendre le pouvoir par les urnes. Je ne commente ici en détail qu'un article d'un seul média, réputé pour son sérieux et sa neutralité, dont on ne pouvait pas suspecter un tel niveau de désinformation. Mais l'encens versé sur E. Macron et le fiel déversé sur les candidats de gauche étaient le fait de tous les grands médias à l'époque.

Patrick Drahi saura également se montrer reconnaissant à E. Macron d'avoir mis fin, en arrivant au ministère des finances, aux tracasseries fiscales qu'A. Montebourg avait mis en branle. Quant au journal *Challenges*, il titre en janvier 2017 : « Gauches : le boulevard fait à Macron ». À ce moment-là, J.-L Melenchon est aussi bien placé dans les sondages mais *Challenges* semble avoir fait son choix pour la « gauche ».

Ces discours médiatiques n'ont pas conquis les classes populaires mais ont berné une certaine bourgeoisie sociale-démocrate des classes moyennes, trop ravie de pouvoir voter pour un candidat qui ne menacerait pas l'ordre social tout en étant labellisé de gauche. Et si, en plus, cela permettait de lutter contre l'extrême-droite, les voilà qui pouvaient définitivement se ranger dans le camp du bien. Cette frange de l'électorat a été particulièrement surprise et déçue par la teneur réelle du premier mandat d'E. Macron.

Pour éviter ce phénomène de contrôle de l'information par les classes dominantes, les solutions ne manquent pas et n'impliquent pas de grande révolution. L'économiste Julia Cagé[15] préconise parmi moult propositions des bons accordés par l'Etat pour permettre à chaque citoyen français de disposer d'une somme identique à allouer au.x média.s de son choix. Il s'agit ainsi de répartir le quatrième pouvoir entre tous les citoyens au lieu de laisser une poignée de milliardaires se l'accaparer. De faire en sorte que la presse soit à l'image des Français au lieu que les Français soient à l'image de la presse. Nous pourrions aussi appliquer les mesures mises en place à la suite de la Seconde Guerre mondiale à l'initiative du Conseil National de la Résistance

---

15 Julia Cagé et Benoit Huet, *L'information est un bien public. Refonder la propriété des médias*, Seuil, 2021

(CNR), à savoir la règle « un homme, un titre » selon laquelle un même individu ne peut pas être propriétaire de plusieurs quotidiens afin de limiter la concentration ou encore l'interdiction de mener en parallèle une activité industrielle ou commerciale afin d'éviter les conflits d'intérêt. Pourtant, rien n'est fait en ce sens…

Par le truchement des médias de masse qu'ils contrôlent, les classes dominantes imposent leur grammaire ; c'est-à-dire leurs règles, leurs valeurs et leur vocabulaire. Ils fixent les frontières du tolérable et de l'intolérable, du dicible et de l'indicible, de l'audible et de l'inaudible. En termes d'influence sur l'opinion publique et donc sur les suffrages, l'information est si capitale qu'il n'est pas étonnant que les capitalistes se l'approprient. Ils s'appliquent également à dépolitiser les débats.

Chapitre 4
En dépolitisant les masses

Je suis très effrayé de la propagation imprudente, exagérée de l'instruction primaire., N'est-ce pas en général les ouvriers les plus instruits et qui gagnent le plus, qui sont tout à la fois et les plus déréglés dans leurs mœurs et les plus dangereux pour la paix publique[16] *?*

A. Thiers

Adolphe Thiers prononça ces mots lors d'un débat à l'Assemblée en 1849, un an seulement après l'instauration du suffrage universel. Comme durant toute sa vie politique qui commença en tant que ministre du roi Louis-Philippe et finit en tant que chef de gouvernement d'une République qui réprima férocement la Commune, il se faisait ici le porte-parole des classes dominantes. Les classes dominées ayant obtenu le droit de voter, il fallait à tout prix éviter de les laisser entrevoir leurs intérêts. Leur dépolitisation passait notamment par des barrières dans l'accès à l'éducation.

---

16 Adolphe Thiers, cité in Hilaire de Lacombe, *Les débats de la commission de 1849*, Paris, Bureaux du Correspondant, 1879, cité in Ludivine Bantigny, *La Commune au présent*, La Découverte, 2021

Constatant la soumission des masses aux jugements des anciennes élites qui entraînaient des désillusions électorales, les républicains de la III è République ont mis un point d'honneur à instruire les classes populaires pour les émanciper. Lois sur l'obligation et la gratuité de l'école en 1882, loi sur la liberté de la presse en 1881 accompagnée par la naissance d'une profusion de journaux d'opinion animés par des hommes politiques, etc.

Pourtant, 140 ans plus tard, ce qui est frappant dans le cas de la médiatisation d'E. Macron, c'est l'absence de contenu en termes d'idées. La dépolitisation ne frappe plus seulement les électeurs potentiels, mais la vie politique elle-même.

Nous pouvons y voir l'aboutissement de la dynamique de la personnalisation et du « horse race » initiées dans les années 70, c'est-à-dire la focalisation sur la compétition entre les candidats et les punchlines au lieu de mettre en lumière le débat d'idées.

E. Macron n'a pas de programme mais ce n'est pas important : il est jeune, il est talentueux, il est cool, il est ambitieux et il gagne dans les sondages des parts de voix sur ses adversaires. De surcroît, par le fait du média télévisuel et par une dérive de la presse papier initiée par *Paris-Match*, « l'image » est devenue primordiale.

Ce tournant a été opéré en 1960 aux Etats-Unis avec le premier débat présidentiel entre R. Nixon et J.F. Kennedy. Alors que le premier a dominé le débat chez ceux qui l'ont écouté à la radio, impressionnés par son expérience manifeste et sa bonne connaissance des dossiers, c'est le second qui l'a emporté chez ceux qui ont regardé le débat sur leur poste de télévision. Kennedy est jeune, élégant, charismatique, souriant, respire l'aisance et montre qu'il a bien l'étoffe d'un président. De son côté, Nixon arbore un costume gris qui se confond avec le décor. Plus âgé, mal à l'aise, l'air contrarié, il a les traits tirés, semble fatigué et se remet d'un rhume. Quelques semaines plus tard, c'est Kennedy qui remporte les élections, devançant son adversaire de quelques centièmes de pourcents, que les observateurs avisés attribuent à sa performance télévisuelle.

Dès lors, l'image et la personnalisation vont peu à peu prendre le pas sur les idées dans les campagnes électorales.

Cette tendance traverse l'Atlantique en 1965 avec la campagne de Jean Lecanuet (alias « dents blanches, haleine fraîche ») face au général de Gaulle. Cet événement fait office de mythe fondateur de la communication politique en France : la campagne centrée sur sa personne, inspirée par Kennedy, lui permet d'obtenir 16 % des suffrages alors qu'il était crédité de 5 % dans les sondages un an plus tôt.

Dans la foulée, les affiches électorales se vident progressivement de mots et la photographie du candidat occupe de plus en plus d'espace. Les spin doctors, ces conseillers en communication venus du monde de la publicité, deviennent progressivement indispensables pour manipuler l'opinion.

Il ne s'agit plus d'informer de son programme en appelant à la raison des électeurs mais de plaire en jouant sur l'image, autrement dit sur les préjugés et les émotions. Le spectacle prend le pas sur l'information : capter l'intérêt devient une fin en soi plutôt que de retranscrire le réel et de véhiculer des idées pour le transformer.

Mieux vaut un sourire et une petite phrase qu'un long discours.

Ainsi, en 2017, si B. Hamon avait un programme beaucoup plus riche qu'E.Macron (c'est là un fait objectif : ce dernier n'en avait même pas du tout pendant la majeure partie de la campagne), il était attaqué sur sa « présidentialité ». *Libération* et *l'Obs*, qui se présentent comme des journaux orientés à gauche, ont consacré nettement plus de papier à E. Macron qu'à B. Hamon. La photographie du premier et un adjectif qualificatif évoquant un trait de caractère supposé de sa personne suffisent à occuper l'espace d'une couverture : voilà un bel exemple de personnalisation de la vie politique. Le système médiatique de la peopleisation et le système politique présidentiel de la Vè République s'harmonisent pleinement pour cette simplification très réductrice de la vie politique. Ainsi, les couvertures de *Paris-Match* et *VSD* mettant en scène E. Macron avec « Brigitte » s'accumulent durant la campagne. Mais l'intérêt pour la femme d'E. Macron n'est pas l'apanage des journaux people. Pas un organe de presse qui ne s'y intéresse, tous participent à ce story telling. « *Toute la France connaît désormais la romance qui plaît tant à l'électorat féminin* »[17], indique l'article intitulé sobrement « Le fantasme Macron » dans *Le Monde*. Nous voilà rassurés : ce rabaissement de la politique à l'exposition de la vie privée serait uniquement la faute des femmes ! Toujours est-il que la tradition américaine de la « première dame » qui n'a aucun fondement institutionnel en France y est désormais bien ancrée. Au grand dam du champion de scooter F. Hollande.

La personnalisation et le règne de l'image prennent une ampleur encore plus démesurée avec les nouveaux médias comme les vidéos Tik Tok qui ont permis de faire émerger la figure de J. Bardella, avatar cool de l'extrême-droite.

Cette situation est une dérive de la démocratie représentative. Lorsque nous votons, c'est toujours pour des personnes. Nous choisissons simplement à qui nous allons nous soumettre pendant la durée d'un mandat, qui va décider pour nous et in fine, accorder notre vote à un candidat revient à lui abandonner notre pouvoir de décision. Il n'est

---

17 *Le Monde*, le 12 novembre 2015, « Le fantasme Macron », Ariane Chemin et Raphaëlle Bacquet

tout de même pas anodin que la seule consultation directe sur un projet précis de ces trente dernières années -le referendum sur le traité européen de 2005- n'ait même pas été entendue. Pour légitimer cet état de fait, il faut que ces personnes désignées pour diriger soient perçues comme supérieures, il faut des surhommes. Comme E. Macron que la presse mainstream nous a présenté comme un génie. Comme G. Attal pour qui elle reprend paresseusement les mêmes mots. Néanmoins, cette avant-garde éclairée est parfois incomprise comme en 2005 où le peuple a voté non. Comme en 1995 où selon A. Juppé, les grévistes se sont opposés à sa réforme parce qu'ils ne l'avaient *« pas bien comprise »*. Comme à chaque fois que le peuple manifeste parce que les élus n'ont pas assez fait preuve de *« pédagogie »*. Qu'importe. Il faut respecter le suffrage universel. L'élite désignée par le vote, cette avant-garde éclairée, sait mieux que les citoyens lambda ce qui est bon pour eux et sait faire preuve de *« responsabilité »* et de *« courage politique »* pour maintenir son cap et avancer malgré le mécontentement populaire.

Voter, c'est choisir son maître : de gentils ou de méchants maîtres ? Des maîtres compétents ou incompétents ? Nous ne votons pas pour des idées, ni même pour des gens qui *représentent* nos idées, mais pour des individus qui les *incarnent*, c'est-à-dire des individus présentés comme aptes à nous *commander*. Des individus qui ont du « leadership ». Or, ces considérations conduisent à se calquer sur des dominations sociales car elles se basent moins sur des compétences véritables que sur des préjugés de classe, de genre ou encore de couleur. Voilà comment on se retrouve à voter pour des hommes et surtout des hommes blancs, âgés et riches, de préférence mariés. Cela est contradictoire avec l'idée de démocratie qui présuppose l'égale aptitude de tous à la participation aux affaires publiques.

L'infantilisation du peuple, qui se veut officiellement lui rendre la politique plus accessible, l'empêche au contraire d'y accéder. Les informations nécessaires à la compréhension des enjeux politiques profonds ne lui sont pas fournies. Notamment la grille de lecture sociale, en imposant la question identitaire nationale pour faire écran.

Chapitre 5
En camouflant la lutte des classes par l'érection du mythe national

Les médias peuvent ne pas parvenir tout le temps à dicter aux gens ce qu'il faut penser, mais ils sont d'une redoutable efficacité pour leur dire ce à quoi il faut penser

B.C. Cohen, *The press and Foreign Policy*, 1963

Les hommes politiques, les journalistes et les politologues parlent un langage qui n'est pas très éloigné du mien quand il ne le recouvre pas, voire le dépasse. Je me suis normalisé puisque tout le monde parle comme moi.

Jean-Marie Le Pen, France Inter, 16 avril 2002

Avec l'avènement du suffrage universel, le sort des élites dépendait désormais des masses. Il fallait donc souder artificiellement les classes dominantes et les classes dominées. L'invention du nationalisme -et son versant xénophobe- permet de désolidariser les classes populaires et de donner l'illusion d'un « nous » partageant les mêmes intérêts et valeurs indépendamment de la classe sociale.

C'est ainsi que, selon l'historien spécialiste de l'immigration Gérard Noiriel[18], le premier événement médiatique xénophobe a lieu en 1881. Des ouvriers italiens auraient sifflé la Marseillaise en raison d'un conflit colonial franco-italien et cela a occasionné une rixe avec des ouvriers marseillais. C'est là que la presse a commencé à englober les classes populaires dans le « nous » national, par opposition aux « étrangers ». Ce terme est presque alors un néologisme, puisqu'il désignait auparavant toute personne non domiciliée dans la ville et il devient à ce moment-là le négatif du national. Alors qu'on parlait jusqu'alors de piémontais et de provençaux, le cadre national s'impose et l'affaire devient une affaire nationale entre « italiens » et « français ». Voilà de quoi proposer un contre-discours au paradigme marxiste naissant de la lutte des classes. Aussi, cela permet à la presse parisienne d'instaurer une connivence avec le lecteur malgré la distance géographique et l'écart social. L'événement, bien qu'il n'ait ni le caractère inédit ni le caractère représentatif qui justifie une telle médiatisation, est monté en épingle par la presse et les responsables politiques. G. Noiriel révèle que les précédentes rixes entre ouvriers immigrés et français

---

18 Gerard Noiriel, *Une histoire populaire de la France, de la guerre de 100 ans à nos jours*, Agone, 2019

n'avaient pas suscité l'intérêt des médias car leurs lecteurs, bourgeois, les percevaient tous comme autres : « eux », les sauvages, c'était les classes laborieuses dans leur ensemble. Avec le suffrage universel et les médias de masse qui obligent à considérer les classes laborieuses à égalité de dignité, ces dernières sont intégrées dans un nouvel ensemble qui est la nation. Le malheur des ouvriers, qui subissent de plein fouet à l'époque une grave et longue crise économique, est dès lors attribué à l'envahissement des étrangers. Les députés s'adonnent à une surenchère de projets de loi (pas moins de 50) qui aboutissent en 1893 à la loi sur la protection du travail national.

Les idées antisémites germent en parallèle. Le polémiste Edouard Drumont, que G. Noiriel[19] compare à E. Zemmour, publie son best seller *La France juive* en 1886 et ses idées infusent tellement dans l'opinion qu'il se retrouve parmi 30 députés antisémites à l'Assemblée Nationale en 1898. S'ils ne sont pas majoritaires, leur parole fortement médiatisée et leur présence politique conduisent à l'adoption de lois qui relèvent, non pas directement de l'antisémitisme, mais de la préférence nationale. Les similitudes avec la situation actuelle sont frappantes. Quant à l'affaire Dreyfus, entre 1894 et 1906, elle divise la France en deux et montre que la peur de l'« étranger » est devenue une thématique politique

---

19 Gerard Noiriel, *Le venin dans la plume, Edouard Drumont, Eric Zemmour et la part sombre de la République,* La Découverte, 2019

et sociétale centrale. A. Dreyfus, juif accusé à tort d'espionnage en faveur de l'Allemagne, est l'archétype de l'ennemi de la nation, à savoir le « juif allemand ». Dans les années 20, à la suite de la révolution communiste de 1917 en Russie, un glissement s'opère vers la figure du « judéo-bolchévik » qui permet à l'extrême-droite de regrouper en un seul concept ses deux épouvantails. Les tenants de cette thèse fantasmagorique font du communisme une invention des Juifs, lesquels auraient endossé les habits de révolutionnaires pour mieux étendre leur pouvoir partout dans le monde. En 1936, la presse de droite et d'extrême-droite a instrumentalisé cet antisémitisme pour acculer le premier ministre socialiste Léon Blum. Son ministre Roger Salengro, accusé à tort d'avoir déserté pendant la Grande Guerre[20], en jouant sur des préjugés antisémites, est même conduit au suicide. Ce nationalisme xénophobe accouche du régime de Vichy qui vient clore un cycle.

Entre 1945 et le tournant des années 80, le discours xénophobe sur l'immigration est quasiment absent du débat public. Étonnant paradoxe : la France était plus raciste et plus intolérante qu'aujourd'hui, biberonnée au racisme biologique, mais ce racisme ne se traduisait pas dans les urnes. Présent dans les mentalités, ce n'était pas un enjeu

---

20 Accusations portées notamment par les anciennes ligues d'extrême-droite dissoutes par R. Salengro et par le journal *Le Gringoire*, journal satirique de droite qui glisse progressivement vers l'antisémitisme et la xénophobie

politique. En témoigne le score du Front National (FN) de J.-M. Le Pen qui n'obtient même pas 1 % des voix en 1974. Dans l'urne, les choix ne sont pas guidés à cette époque par les valeurs culturelles et identitaires mais par des questions socio-économiques. Les ouvriers votent alors majoritairement pour une gauche qui leur propose un Etat plus interventionniste dans l'économie, un salaire minimum digne, une réduction du temps de travail… Ce vote à gauche n'est pas freiné par la xénophobie car ce n'est pas un enjeu des débats politiques. Cela peut s'expliquer par une conscience plus aiguë dans la classe politique, au lendemain de la guerre, des conséquences du nationalisme et du racisme. Cela peut également s'expliquer par le fait que la situation du pays était bonne durant les Glorieuses : comment accuser les arabes d'être responsables du chômage lorsqu'il n'y a pas de chômage ?

À partir des années 80 en revanche, le FN améliore ses scores au fur et à mesure que la crise économique s'étend. Le racisme prend une tournure politique quand il s'agit d'expliquer les échecs des gouvernements successifs : échecs de l'Education Nationale, chômage, insécurité, trou de la Sécu,… Il faut trouver des boucs-émissaires. Dans le contexte international de la montée de l'islam politique en lutte contre l'Occident (Révolution Islamique en Iran en 1979, moudjahidines en Afghanistan dans les années 80, terrorisme du Groupe Islamique Armé d'Algérie dans les années 90 qui s'étend à la France, attentats du 11 septembre

2001 à New York) et par leur forte présence sur le sol français, les musulmans sont tout désignés. Malgré ce contexte, J. Chirac décide de ne pas s'acoquiner avec l'extrême-droite et s'en tient à sa doctrine du « cordon sanitaire » qui doit séparer hermétiquement la droite de l'extrême-droite raciste. C'est un FN isolé sur la scène politique qui parvient à polariser le débat public autour de la question de l'immigration, notamment sur le thème de la sécurité. Les coups de pouce viennent alors de F. Mitterrand qui y voit un concurrent à la droite républicaine, un aspirateur à voix.

Cependant, à partir du traité de Maastricht de 1992, le Front National abandonne officiellement sa doctrine néolibérale, reprochant à l'Union Européenne d'imposer de l'extérieur le néolibéralisme, puis se tourne vers le protectionnisme et emprunte certaines idées à la gauche. Ce revirement change la donne. Le Front National aspirera désormais les voix ouvrières.

En 2002, J.-M. Le Pen se retrouve au second tour des présidentielles : la question sécuritaire qui a monopolisé l'attention médiatique a disqualifié la gauche et permet à J. Chirac de bénéficier du vote de barrage au second tour. Certains auront flairé le bon filon. N. Sarkozy mène sa campagne en 2007 sur le thème de la sécurité et de l'immigration, pour ne pas laisser ses thèmes au FN selon lui. En fait, il s'agit d'une stratégie de distinction par rapport à la gauche, un moyen d'aller chercher les voix des Français blancs déclassés en créant de nouvelles lignes de fracture. Reprendre les discours de l'extrême-droite comme l'a fait N. Sarkozy, cela ne permet pas de lutter contre. Cela donne de l'écho à ces idées et les valide, elles infusent d'autant plus dans l'opinion. Depuis les années 2000, la question de l'immigration et de l'islam a envahi tous les thèmes.

On parle souvent de droitisation de l'opinion publique. Or, rien n'est plus faux. Si les Français votaient en fonction des enjeux socio-économiques, ils voteraient à gauche. Selon un sondage Ifop commandé par *l'Humanité*, 81 % des Français sont pour l'augmentation du SMIC, 85 % pour taxer les dividendes des actionnaires des grandes entreprises, 78 % pour le rétablissement de l'ISF, 93 % pour un grand plan de réinvestissement dans les services publics. D'ailleurs, pourquoi les figures du RN feindraient de défendre une politique sociale s'ils n'estimaient pas en retirer des gains électoraux ? Si les Français ne votent pas à gauche, c'est parce que dans leur choix interfèrent des « valeurs » liées à des enjeux identitaires et culturels : laïcité, égalité des sexes, homosexualité, immigration et islam. Cela ne traduit même pas une droitisation de l'opinion publique sur ces sujets. En effet, les indicateurs de la Commission Nationale Consultative des Droits de l'Homme[21] montrent qu'en 2022, l'indice de tolérance était à

---

21 Selon l'indicateur longitudinal de tolérance établi par Vincent Tiberj

66, son niveau record, alors qu'il n'était qu'à 50 en 1992. Par exemple, la part des personnes interrogées qui considèrent que les immigrés sont une source d'enrichissement culturel est passée de 44 % à 76 % sur cette période, la part de celles qui soutiennent le droit de vote des étrangers est passée de 34 % à 58 % entre 1984 et 2022, la part de ceux qui considèrent qu'il y a trop d'immigrés en France a chuté de 69 % à 53 % sur la même période. L'obsession identitaire dans le débat public n'est donc pas le fait d'une transformation de l'opinion mais du choix des hommes politiques et des médias de se focaliser sur ce sujet. Un choix qui permet d'inverser les rapports de force entre la gauche et la droite, d'autant que l'abstentionnisme différentiel donne plus de poids aux générations les plus âgées, celles qui sont le plus sujettes au racisme.

Le paradigme nationaliste est intéressant pour la classe dominante puisqu'il lui rallie une large faction des classes populaires tout en fracturant ces dernières. Il s'agit de briser la solidarité de classe. La militante décoloniale Houria Bouteldja dans *Beaufs et barbares*[22] montre à quel point ces divisions ont fracturé les classes populaires au siècle dernier, pénalisant le mouvement syndical et les partis de gauche. D'abord, cette division raciale ou civilisationnelle a permis de justifier l'exploitation des peuples colonisés et de

et Nonna Mayer

22 Houria Bouteldja, *Beaufs et Barbares, Le pari du nous,* La Fabrique, 2023

perpétuer des formes de domination contraires aux Droits de l'Homme. En fabriquant un groupe ethnique défini par l'origine dans l'empire colonial, l'administration républicaine rétablit la distinction entre plusieurs catégories de Français que la Révolution avait abolie. Mais ces visions racistes ont aussi des ramifications dans la France métropolitaine postcoloniale avec les immigrés issus des pays autrefois colonisés. Ainsi, lors de grèves d'ouvriers spécialisés en 1983, la droite avait beau jeu de dénoncer l'alliance « *de la faucille et du croissant* » tandis que le PS au pouvoir dénonçait la mainmise « *chiite* », Pierre Mauroy évoquant des « *moudjahidines* ». Des discours censés décrédibiliser ces luttes sociales et faire perdurer l'exploitation de ce lumpenprolétariat.

Aujourd'hui, l'instrumentalisation de la xénophobie permet par exemple de stigmatiser les aides sociales qui seraient attribuées et captées par les immigrés. Voilà de quoi rendre moins impopulaire le discours d'E. Macron qui reproche aux aides sociales de coûter « *un pognon de dingue* ».

« *L'Etat social, les gens étaient pour parce que c'était pour eux, mais les gens n'ont pas envie de donner de l'argent aujourd'hui parce qu'il y a beaucoup d'immigrés* » me faisait remarquer un élève durant un cours d'EMC. Qu'importe si le pourcentage d'immigrés est le même qu'il y a un siècle, l'acharnement rhétorique a payé. L'Etat social n'est plus perçu comme l'expression de la solidarité nationale mais comme une captation du fruit du travail des Français par des immigrés profiteurs et fainéants.

Désigner les étrangers et les immigrés à la vindicte populaire, pointer du doigt ces « mauvais pauvres » ; c'est faire diversion pour que les classes populaires et moyennes regardent *en bas* au lieu de regarder *en haut* pour chercher ceux qui les ponctionnent. Les immigrés sont accusés de siphonner le budget de l'Etat alors que, selon l'OCDE, *« dans tous les pays, la contribution des immigrés sous la forme d'impôts et de cotisations est supérieure aux dépenses que les pays consacrent à leur protection sociale, leur santé et leur éducation »*[23] avec une contribution nette de 1.02 % du PIB pour la France. Dans le même temps, les actionnaires ponctionnent toujours plus la plus-value générée par les travailleurs et amputent le budget de l'Etat par un exil fiscal massif. Ceux-là seront épargnés tant que le peuple regardera vers le bas en ayant le sentiment qu'il regarde *en dehors.* Construire l'immigré comme un « autre » insoluble dans la communauté nationale, fabriquer la figure du « mauvais pauvre », cela permet de ne pas s'attaquer aux inégalités. Ces discours sont d'autant plus efficaces que les préjugés de couleurs et les préjugés culturels font des descendants d'immigrés africains, dans les représentations collectives, des éternels immigrés.

---

23 Rapport de l'OCDE du 28 octobre 2021

Dès lors, le nationalisme xénophobe a permis de décrédibiliser les révoltes sociales qui ont bousculé le pays ces 20 dernières années. Progressivement, la clef de lecture identitaire et sécuritaire s'est imposée aux dépends de l'interprétation sociale et devient hégémonique. Suite aux émeutes des banlieues lyonnaises en 1981 de Vénissieux à Vaulx en Velin, le « malaise des grands ensembles » est mis en lumière et le gouvernement de Mitterrand lance des programmes sociaux à travers la « politique de la ville » qui débouchera sur la création des ZEP et des projets architecturaux. Comme le rappelle Benoit Bréville dans son article « La religion sécuritaire » pour *Le Monde Diplomatique* en août 2023, même N. Sarkozy met alors en lumière les problèmes sociaux comme facteurs explicatifs : « *le chômage et l'absence de formation des jeunes en sont responsables* ». En 2005, la révolte qui fait suite à la mort de deux jeunes ayant fui la police à Clichy sous Bois est interprétée par J. Chirac à la fois comme une conséquence des « *handicaps* », des « *discriminations* » et des « *difficultés* » cumulées par ces territoires et comme la conséquence des « *familles qui refusent de prendre leurs responsabilités* » *ainsi que de* « *l'immigration et les trafics qu'elle génère* ».

Ce glissement vers la « religion sécuritaire » dénoncée par Benoit Bréville trouve son point d'orgue en 2023 lors des émeutes qui ont fait suite à l'assassinat du jeune Nahel par un policier. La grille de lecture est définitivement passée de la fracture sociale, qui expliquait les explosions de colère par la conjoncture, à la fracture civilisationnelle, qui essentialise la violence des émeutiers. Le thème du choc des civilisations, théorisé en géopolitique par S. Huntington, rejaillit dans la façon dont est appréhendée la situation nationale. Ne parlons même pas des forces d'extrême-droite qui ont financé par une cagnotte en ligne le policier responsable de la mort de Nahel à hauteur de 1 million d'euros. Notons simplement à quel point la presse et le gouvernement ont mis l'accent sur le désordre causé par l'*« ensauvagement »* des banlieues afin que l'affaire ne soit surtout pas perçue pour ce qu'elle est : une mise en question des violences policières. Plutôt que de dénoncer les biais racistes de la police, le gouvernement et la droite des Républicains ont joué à plein la stigmatisation de Nahel puis des émeutiers en surfant sur les préjugés racistes de l'opinion. *« Ces événements n'ont rien à voir avec une crise sociale »,* mais tout avec *la « désintégration de l'État et de la nation »* affirme Laurent Wauquiez au nom des Républicains. Ceux qui trouvent une explication sociale aux émeutes ou dénoncent la violence du policier sont condamnés et disqualifiés par la classe politique et les médias. La réponse gouvernementale, outre la répression féroce (près de 2000 condamnations dont 90 % à la prison), n'est pas cette fois-ci une main tendue mais une mise à l'index des parents défaillants. Aurore Bergé, ministre des Solidarités et des Familles, lance un programme vaseux de "*soutien à la parentalité*" tandis que le garde des Sceaux, Eric Dupont-Moretti est chargé de déployer "*les mesures judiciaires sur la responsabilité parentale et la justice des mineurs* ». Le ministre de l'Intérieur G. Darmanin s'occupe quant à lui d'établir un plan pour restaurer l'ordre dans ces territoires. "*L'ordre, l'ordre, l'ordre*", résumait Emmanuel Macron lors d'une interview depuis la Nouvelle-Calédonie un mois après les émeutes. Entendons-nous bien : ces mesures réactionnaires cosmétiques ne changeront pas la face des banlieues, pas plus que les mesures sociales de la gauche mitterrandienne ou de la droite chiraquienne. Mais elles servent un discours idéologique rance. Le président de la République, qui évoquait déjà, en mai, un "*processus de décivilisation*", a utilisé des éléments de langage similaires fin août, jugeant qu'il faut s'atteler à « *reciviliser* ». Par ces mots qui sont les mêmes que les slogans de M. Maréchal Le Pen et d'E. Zemmour, E. Macron importe sur le territoire métropolitain et téléporte dans le temps un lexique hérité du passé colonial de la France et des discours de J. Ferry qui déclarait à l'Assemblée Nationale en 1885 que le « *devoir des races supérieures* » était de « *civiliser les races inférieures* ». Nous sommes ici parfaitement dans le cadre d'un racisme postcolonial à l'égard des populations immigrées issues des anciennes colonies.

En 2019 au contraire, étant donné que la révolte sociale concernait plutôt des blancs, la lecture raciale et identitaire a volontiers présenté les insurgés comme des racistes, érigeant des propos isolés en vérités générales sur le mouvement. Le gouvernement macroniste et les médias, les mêmes qui présentaient trois ans plus tard les banlieusards comme des sauvages, avaient beau jeu de se demander si ces gilets jaunes n'étaient pas des chevaux de Troie du RN et des antisémites.

Dans tous les cas, il s'agit de diviser les classes populaires pour mieux régner, le même gouvernement instrumentalisant tour à tour le racisme et l'anti-racisme au gré de la conjoncture. Banlieusards barbares d'un côté, beaufs racistes de l'autre ; des représentations péjoratives mutuelles qui entretiennent des divisions calquées sur une rupture territoriale entre les banlieues des métropoles et les espaces périurbains/ruraux. Cette séparation géographique engendre une méconnaissance et donc des incompréhensions. Comme en 1871 durant la Commune, les ruraux ne comprennent pas la révolte qui agite les faubourgs urbains et les classes dominantes jouent sur leur peur pour rétablir l'ordre par la violence. Les banlieusards ne se mêlent pas plus aux jacqueries de la France rurale et périurbaine.

Voilà pourquoi E. Macron et ses ministres nourrissent la xénophobie. Voilà pourquoi G. Darmanin, J.-M. Blanquer ou encore F. Vidal[24] n'hésitent pas à véhiculer des concepts et discours jouant sur le racisme comme « *l'islamo-*

24 Respectivement ministres de l'Intérieur, de l'Education Nationale et de l'Enseignement Supérieur

gauchisme » qui n'est pas sans rappeler les discours fascistes des années 30 sur le judéo-bolchévisme, assimilant dans un gloubi boulga un ennemi politique et un ennemi religieux sans que l'on sache bien s'il s'agit de l'islamisme ou simplement de l'islam. Voilà pourquoi E. Macron fait sien le concept d'« *ensauvagement »* issu de la fachosphère ; voilà pourquoi il interdit les manifestations propalestiniennes en présupposant qu'elles seraient forcément violentes et laisse son ministre G. Darmanin jeter en pâture K. Benzema pour son soutien aux bombardés gazaouis ; voilà pourquoi il s'adonne à une interview dans le magazine d'extrême-droite *Valeurs Actuelles* ; voilà pourquoi il laisse se mettre en place une cagnotte à 1 million pour un policier qui a tué un arabe ; voilà pourquoi il soutient la loi « asile et immigration » qui ôte aux étrangers certains de leurs droits sociaux et instaure le principe de préférence nationale tant désiré par J.-M. Le Pen ; voilà pourquoi il refuse de nommer les violences d'extrême-droite comme l'incendie de la maison du maire de Saint Brévin et enjoint sa première ministre à renvoyer dos à dos les *« extrêmes »* ; voilà pourquoi il crée le « Service National Universel » censé exalter la nation et cadrer notre jeunesse.

Cette racialisation du discours politique de droite contraint la gauche à riposter sur le même terrain. Ainsi, LFI s'était rendu à la manifestation contre l'islamophobie en 2019 à la suite d'une attaque perpétrée contre une mosquée. Cette participation qui aurait dû être consensuelle au regard de notre devise nationale est devenue un prétexte pour jeter l'opprobre sur ce parti et diviser la gauche. Profitant du climat de défiance à l'égard de l'islam pour disqualifier J.-L. Mélenchon, la droite entretenait alors un confusionnisme entre islamisme et islam en jouant sur le traumatisme des attentats récents. Manifestation contre l'antisémitisme pendant les bombardements sur Gaza, manifestation contre l'islamophobie où sont présents des islamistes… La gauche se retrouve dans des pièges chinois : quel que soit le côté par lequel elle entre dans le problème, elle se retrouve coincée.

Au grand dam des minorités ethniques et religieuses qui luttent sincèrement pour défendre leurs droits, que l'on soit pour défendre les droits des « racisés » ou pour les exclure de la communauté nationale, la classe politique et les médias ont réussi à imposer la grille de lecture identitaire aux dépends de la grille sociale. C'est la divergence des luttes. La droite choisit les thématiques et dessine les lignes de fracture qui engendrent les clivages. Par la grille de lecture identitaire, elle fragmente l'opposition. C'est cela que dénonce G. Noiriel dans sa tribune sur "l'impasse des politiques identitaires" dans le *Monde Diplomatique* et il le démontre dans son ouvrage *Histoire populaire de la France.*

Emmanuel Todd parle quant à lui de « *cascade du mépris* » : la haute bourgeoisie représentée par E. Macron méprise la petite bourgeoisie qui elle-même méprise les classes populaires blanches. En bas de cette cascade du mépris, les classes populaires blanches ont besoin de mépriser les classes populaires racisées pour se donner le sentiment de ne pas être au pied de l'échelle sociale et prétendre elles-aussi à un petit sentiment de supériorité.

Que chacun se rassure. Il reste, au dernier barreau de l'échelle sociale, d'autres lignes de fracture qui leur permettent d'ériger un système de valeurs dans lequel ils ne sont pas les derniers sur l'échelle de la considération. Quand vous êtes un homme prolétaire, vous pouvez toujours exercer votre domination sur une femme prolétaire. Ainsi, le virilisme, s'il n'est pas propre aux classes populaires, permet de partager malgré l'écart de classes sociales une illusion de valeurs communes. En ce sens, le soutien appuyé d'E. Macron à G. Depardieu, s'il a surpris et désarçonné le plateau de l'émission *C à vous* le 20 décembre 2023, s'explique. Pas seulement comme l'expression de la solidarité des classes dominantes mais aussi par une stratégie bien réfléchie de conquête des classes moyennes et populaires. En effet, cela permet de tracer de manière plus marquée la ligne de clivages entre la gauche anti sexiste et la droite de plus en plus traditionnelle que représente E. Macron. Des vidéos accablantes montrent Depardieu en train de tenir des propos sexuels gênants devant des femmes ou dans le dos d'une enfant de 11 ans… Et alors, on ne peut plus rien dire ? On n'a plus le droit d'être bon vivant ? Et puis peut-on faire confiance aux médias qui ont publié ces vidéos ? Trois femmes portent plainte pour viol ou agression sexuelle, treize témoignages l'accusent publiquement, il est mis en examen.... Mais E. Macron ne supporte pas « *les chasses à l'homme* ». Il faut véritablement prendre le terme « homme » avec un petit h : l'émancipation des femmes menace les hommes, les victimes ne sont pas les femmes qui ont été agressées sexuellement mais les hommes qu'elles accusent. Le président veut jouer sur le sexisme ordinaire et l'idée selon laquelle le féminisme actuel menace l'ordre social qui maintient les hommes même les plus prolétarisés dans leur statut dominant. Défendre Gérard Depardieu comme stigmatiser les immigrés, c'est la manière dont E. Macron a décidé de s'adresser aux blancs déclassés, prétendant lutter pour des valeurs autres que l'argent. Pour enfoncer le clou du cercueil de la dignité, E. Macron affirme que Gérard Depardieu « *rend fière la France* ». C'est l'adresse ultime aux blancs déclassés : l'identité nationale, le patrimoine, une icône de la culture populaire française qu'il s'agit de défendre contre les attaques de la gauche. Cette séquence de prime abord lunaire est donc un condensé de la stratégie très rationnelle du président : jouer sur le nationalisme et prétendre à un système de valeurs qui n'a d'autre but que de camoufler les inégalités sociales tout en protégeant un membre de sa classe, le plaçant au-dessus des lois. En fait, E. Macron, dans une perspective électoraliste de lutte contre une gauche « woke » qui le menace, fait un pot-pourri de ce qu'il estime être des valeurs répandues dans l'opinion publique. Il privilégie les idées les plus rances, prenant acte du fait que les personnes âgées votent plus que les jeunes. Ainsi, il fait siennes les valeurs réactionnaires et xénophobes de l'extrême-droite, ce qui revient à porter l'extrême-droite au pouvoir.

Parmi ces principes érigés en fondements nationaux menacés, il faut citer l'obsession nouvelle de la droite pour la laïcité alors que cette dernière a longtemps été son épouvantail. Au-delà des questions sociales, la question de la laïcité est une véritable ligne de fracture entre la gauche et la droite depuis le dernier tiers du XIXe siècle. En 1871, la Commune proclamait la séparation de l'Église et de l'État avant d'être écrasée par le gouvernement des républicains modérés. « *Le cléricalisme, voilà l'ennemi* » affirmait Léon Gambetta, figure largement à gauche de l'échiquier politique d'alors. En 1905, la droite s'opposait avec virulence à la loi qui proclamait la liberté de conscience et de culte et la séparation de l'Église et de l'État, au fondement de la laïcité à la française, comme elle s'était opposée à la mise en place d'une école publique laïque en 1883. L'enjeu était alors pour la gauche de lutter contre une institution ecclésiastique encore favorable à la monarchie. Pour la droite et son versant extrême, il s'agissait de défendre une organisation sociale ainsi que l'identité de la France « *fille aînée de l'Église* ». Le projet de loi Savary révélait que cette ligne de fracture n'avait toujours pas disparu en 1984. En effet, le ministre socialiste s'était vu confier par F. Mitterrand la mission d'aboutir à un « *grand service public unifié et laïc de l'Éducation Nationale* » mais il se heurta à un mur. Impossible d'attenter aux écoles privées catholiques défendues par la droite. Cependant, dans les années 2000, un tournant s'opère : la droite et l'extrême-droite brandissent désormais la laïcité comme étendard. Mais c'est une laïcité dévoyée, une laïcité qui cible les musulmans et qui est redéfinie de fait par la loi de 2004 sur l'interdiction du port ostentatoire de signes religieux dans les établissements scolaires. Cette laïcité est en fait un cheval de Troie de l'*assimilation culturelle* : ainsi, l'abaya est interdite en 2023 dans les écoles alors que le Conseil Français du culte musulman ne la reconnaît pas comme un signe religieux. De plus, c'est une laïcité *asymétrique* : les mêmes peuvent déplorer le voile des musulmanes à l'école et regretter les crèches dans les mairies. Le Président se rend à une messe du pape au stade Vélodrome, célèbre une fête religieuse juive à l'Élysée mais s'avère beaucoup moins complice avec les musulmans. D'une main, l'Etat veut fermer le lycée musulman de Lille malgré les rapports positifs de l'inspection. De l'autre, la ministre A. Oudéa Castera place son fils dans une classe non-mixte d'un lycée ultra-catholique qui prône des thérapies de conversion pour les homosexuels, refuse d'informer sur l'usage du préservatif contre les IST et impose l'éducation religieuse. Enfin, c'est une laïcité *offensive* : le maire LR de Marignane demande ainsi aux agents des écoles de la ville, non seulement de ne pas proposer de menu alternatif, mais carrément de servir à tous de la viande, non halal et porc inclus. Il s'agit donc véritablement d'une question identitaire tournée contre la culture musulmane portée par les dernières vagues d'immigration plus que de défendre la liberté religieuse proclamée par les pères fondateurs de la laïcité française. Si la droite a changé de position officielle sur la laïcité, ce qui marque une réelle rupture ; elle cible le même électorat, à savoir des conservateurs attachés à l'identité de la France, à l'ordre social et qui déplorent une perte de repères. C'est moins une *autorité* de la religion qui est dénoncée que la *présence* d'une religion perçue comme étrangère. La laïcité est redéfinie dans le débat public comme le fait de cacher sa religion et de la reléguer à la sphère privée, elle devient un principe excluant alors qu'elle a été pensée comme un principe inclusif.

Le plus cocasse est le retournement des accusations de racisme et de sexisme à l'égard des musulmans. Comme à l'époque coloniale[25], la question des femmes est

---

25 La question du rapport aux femmes servait une infériorisation des cultures non-occidentales et permettait de justifier la colonisation dans la perspective d'une « mission civilisatrice ». Les contradictions du gouvernement actuel et du RN rappellent les positions de Lord Cromer, consul général britannique en Egypte à la fin du XIXe siècle, qui condamnait la façon dont l'islam traitait les femmes et voulait forcer ces dernières à abandonner leurs voiles tandis qu'il luttait en Angleterre contre l'octroi aux femmes de droits politiques. Pour une synthèse efficace sur l'instrumentalisation des questions féministes dans la hiérarchisation raciale, lire Azadeh Kian, « Introduction: genre et perspectives post/dé-coloniales », Les cahiers du CEDREF, 17, 2010.

instrumentalisée pour inférioriser les musulmans et arguer d'une prétendue supériorité civilisationnelle. Comme si la société française avait besoin des musulmans pour être patriarcale, comme si les agressions sexuelles et violences conjugales n'étaient pas répandues dans toutes les strates sociales et dans tous les milieux culturels du pays. L'interdiction des abayas à la rentrée 2023 et la chasse médiatique des robes longues par la police à l'entrée de certains établissements scolaires est là pour stigmatiser les musulmans mais elle révèle en fait le sexisme d'État. En effet, pourquoi se focaliser sur les abayas alors que les kamis ont les mêmes caractéristiques et ne sont pas moins portés ? Parce qu'il s'agit une fois de plus de contrôler la tenue des femmes, de prétendre savoir mieux qu'elles gérer leurs corps. Sous le ministère Blanquer, c'était à l'inverse le crop top qui était dénoncé, qui ne serait pas une « *tenue républicaine* ». Mi putes mi soumises, les filles ne sauraient pas s'habiller sans l'intervention de l'État. Cette double accusation des femmes est l'allégorie du grand écart que fait régulièrement le gouvernement entre son propre conservatisme et la dénonciation du conservatisme de l'étranger. Cette dialectique est la même entre le racisme et les accusations de racisme. Pourquoi interdire les manifestations en soutien à la Palestine bombardée ? Parce qu' Emmanuel Macron part du principe que, portées par des musulmans (qui d'autre puisque les victimes des bombes israéliennes sont arabes ?), elles seraient forcément constitutives de troubles à l'ordre public tant par le contenu antisémite que par la forme violente. Dans le logiciel d'E. Macron donc, les défenseurs de la Palestine sont par essence violents et antisémites. Il révèle là ainsi ses propres préjugés racistes, préjugés qui seront ensuite démentis par les faits puisqu'à la faveur d'une décision du Conseil d'État, ces manifestations seront finalement autorisées et se dérouleront sans incident notable. Mais ces préjugés ne lui sont pas propres. Ils sont véhiculés dans tous les médias de masse avec un amalgame entre dénonciation des crimes d'Israël et antisémitisme d'une part, ce qui dépolitise totalement les débats et les rend impossibles, et une attribution exclusive de l'antisémitisme aux musulmans, ce qui stigmatise encore ces derniers. Un journaliste à l'antenne a même évoqué un « *antisémitisme couscous* », révélant en miroir son propre racisme. D'abord, il présuppose sans preuve que les actes antisémites sont commis par des musulmans/arabes. Mais, de surcroît, il réduit tout un groupe culturel (ethnique ? religieux ?) à un plat qui, tout savoureux qu'il soit, est un peu léger pour faire une civilisation. En outre, c'est une manière d'amnistier l'antisémitisme multiséculaire de l'extrême-droite française.

Ainsi, E. Zemmour et M. Le Pen, entourés d'antisémites avérés, ont pu défiler aux côtés des Républicains, du parti Renaissance et du Parti socialiste. Le gouvernement aurait pu éviter cette situation en acceptant la marche contre le racisme proposée par LFI au lieu de l'interdire mais il a choisi son ennemi, le socialisme, et son allié, l'extrême-droite. Il ne faut surtout pas négliger cet épisode mais bien le saisir comme un tournant historique de collaboration de la droite avec l'extrême-droite inédit depuis la Seconde Guerre mondiale. Cette alliance symbolique s'est traduite en actes législatifs avec la loi Asile-Immigration. Un œil averti pouvait en voir les prémisses dans les refus discrets de retirer des candidats Renaissance dans des triangulaires avec le RN lors des législatives de 2022 et par l'usage récurrent du lexique de la fachosphère. Mais les deux épisodes de 2023 marquent définitivement la rupture avec le « cordon sanitaire » préconisé par J.-Chirac des années 80 au tournant des années 2000.

Plutôt la lutte des races que la lutte des classes ! Comme en France, en Allemagne et en Italie dans l'entre-deux guerres, dans un climat de crise sociale qui décrédibilise ses forces politiques traditionnelles (les partis de droite modérée), la bourgeoisie privilégie depuis 20 ans la montée de l'extrême-droite dont le racisme vise le bas de l'échelle sociale à celle de la gauche dont le socialisme les prend pour cible. En interdisant l'abaya à l'école, G.Attal se rallie 81 % des Français d'après un sondage Ifop et il divise la gauche puisque même la moitié des électeurs de LFI y sont favorables. Voilà une mesure consensuelle qui ne coûte rien financièrement. Qu'importe si, en faisant l'amalgame entre abaya et meurtre de Samuel Paty dans une interview où il justifie l'interdiction du vêtement, E. Macron renforce la peur à l'égard des musulmans. Qu'importe si, en surmédiatisant cette mesure sans ambition, il fait de l'école un ennemi de l'islam et risque donc de faire des musulmans des ennemis de l'école. La question culturelle et religieuse vaut toujours mieux pour les classes dominantes que de voir émerger la question sociale qui montrerait leur déconnexion vis-à-vis de la majorité du peuple et de ses intérêts.

C'est dans cette perspective stratégique cynique qu'il faut lire les derniers mouvements d'E. Macron qui tendent la main à l'extrême-droite. En 2017, il a été élu dans un fauteuil au second tour face à la candidate du Rassemblement National (RN). Pour que cette configuration au second tour se reproduise en 2022, il a érigé le RN en seule alternative légitime avec un succès tel que même le second tour fut serré. Aujourd’hui, la droite n'ayant pas de candidat médiatique et à défaut de pouvoir se représenter lui-même, E. Macron semble carrément viser la victoire du RN. Il ne se contente plus de faire des clins d'oeil à l'extrême-droite à distance maîtrisée, il marche carrément vers elle les deux yeux fermés.

En effet, une victoire du RN serait un moindre mal face au candidat de la gauche car Marine le Pen ou Jordan Bardella sont mieux à même de perpétuer la domination de la bourgeoisie que Jean-Luc Mélenchon ou François Ruffin. En témoignent le nombre de députés du RN qui votent les lois proposées par la majorité macroniste comparé à ceux de

LFI ou du PCF : pour quasiment la moitié des lois proposées, RN et Renaissance votent main dans la main. En témoignent également les refus conjoints du RN et de la majorité de voter des lois sociales, que ce soit à l'Assemblée Nationale ou au Parlement européen : refus de l'augmentation du SMIC, refus du rétablissement de l'ISF, refus du gel des loyers, refus de l'indexation des salaires sur l'inflation, refus de la taxe sur les superprofits…

C'est pourquoi le parti au pouvoir n'a de cesse de diaboliser la gauche majoritaire d'un côté et de banaliser l'extrême-droite de l'autre. Ce récit est relayé par les avatars médiatiques de cette bourgeoisie parmi lesquels on retrouve son plus fervent représentant Raphaël Enthoven : « *S'il fallait choisir entre les deux, et si le vote blanc n'était pas une option, j'irais à 19h59 voter pour Marine Le Pen en me disant, sans y croire, "plutôt Trump que Chavez"* » écrivait-il le 7 juin 2021 sur Twitter. Tant pis si, en bas de l'échelle sociale, les Français issus de l'immigration africaine en paient le prix. Ce n'est pour la haute bourgeoisie qu'un dommage collatéral.

Cette transfiguration de l'adversaire politique en ennemi de la nation passe par une simplification binaire de la pensée selon la stratégie rhétorique du faux dilemme : droite et extrême-droite s'entendent à présenter le débat de façon binaire en caricaturant les positions de la gauche jusqu'à leur prêter des idées qu'ils n'ont pas. Histoire coloniale : soit vous êtes pour la France, soit vous n'aimez pas la France. Immigration : soit vous luttez contre, soit vous ne vous préoccupez pas de « nos SDF » et laissez « nos femmes » se faire violer. Violences policières : soit vous êtes pour la police, soit vous êtes contre la police. Effondrement de la biodiversité, réchauffement climatique : soit vous êtes pour la croissance et le progrès technologique, soit vous êtes pour « le modèle amish » et le "retour à la bougie". Féminisme : soit vous êtes pour les hommes, soit vous êtes pour les femmes. Homosexualité : soit vous vous y opposez, soit vous complotez pour l'imposer à nos enfants. Palestine : soit vous défendez la politique d'Israël, soit vous êtes antisémite et vous vous réjouissez devant le massacre du 7 octobre. Protection sociale : soit vous acceptez la fin de l'Etat-Providence, soit vous êtes un « assisté ». Conditions et temps de travail : soit vous acceptez de travailler plus, soit vous êtes un fainéant. Laïcité : soit vous luttez contre l'islam, soit vous êtes islamiste. Cette pensée manichéenne, simpliste, s'accommode parfaitement de la culture du clash des chaînes Cnews et C8 puisqu'elle permet de faire le buzz et d'être reprise en boucle par morceaux sur les réseaux sociaux. Cela fonctionne car cette vision simpliste des débats joue sur l'émotion plus que sur la raison : à toute personne qui oppose des arguments raisonnables, on demande plutôt de se positionner sur le mode j'aime/j'aime pas. Sur tous les sujets, l'extrême-droite parvient à bipolariser le débat, le simplifiant jusqu'à l'absurde, effaçant toutes les nuances que peuvent receler les positions critiques de la gauche. Or, le progrès est possible parce que la gauche remet en question nos préjugés, inquiète nos certitudes et interroge nos axiomes. Si critiquer c'est détester, alors la gauche n'aime pas la France. Pour tuer la gauche, la droite modérée se suicide en encourageant cette bipolarisation manichéenne du débat sur le mode fasciste « soit vous êtes avec nous, soit vous êtes contre nous ». Dans une démarche kamikaze, la droite bourgeoise se dissout dans l'extrême-droite.

Précisons que si les élites se paient de mots sur l'identité nationale, cela ne se traduit pas par de la solidarité nationale dans les actes. S'ils sont prompts à dénoncer le séparatisme islamiste tant dans les discours que dans les lois, les classes dominantes font preuve d'un séparatisme bourgeois. Comme dit précédemment, la majorité des ministres de l'Éducation Nationale successifs depuis plus de 10 ans ont placé leurs enfants dans des écoles privées et la fille de Brigitte Macron en a carrément fondé une hors contrat à 9 500 euros l'année dans le XVIè arrondissement de Paris. Si le discours des élites est volontiers nationaliste, l'entre-soi social est privilégié dans la pratique. Les élus de la République ne se sentent pas concernés par les services qu'elle offre car ils les évitent soigneusement par un rejet du commun. Quant aux élites économiques, elles n'hésitent pas à donner dans l'évasion fiscale et les délocalisations d'usines. La ligne éditoriale de CNews correspond mal aux pratiques de son propriétaire V. Bolloré, mais ce sont pourtant les idées qu'il souhaite véhiculer. Comment expliquer l'obsession pour les fraudes aux prestations sociales de la CAF alors qu'elles représentent suivant les estimations les plus larges 2 milliards d'euros là où l'exil fiscal représente un manque à gagner 50 fois supérieur à hauteur de 100 milliards d'euros ? Le souci pour le budget de l'État et l'amour de la patrie sont manifestement à géométrie variable…

E. Macron lui-même n'a pas toujours porté un discours xénophobe. Le candidat de 2017 était vendu comme le candidat de la modernité, de la start-up nation, de la société ouverte. Le président de 2023 nous vend des valeurs réactionnaires que l'on pourrait résumer par « Travail, Famille, Patrie ». En 2017, il dénonçait la colonisation comme un « *crime contre l'humanité* » et se rendait à l'entre-deux tours à Oradour-sur-Glane, manière à peine voilée d'établir un lien entre les crimes perpétrés par le nazisme et son adversaire Marine Le Pen. En 2023, il tient des propos dignes des pères de la colonisation et son parti défile avec Marine Le Pen. Il sait convoquer racisme et anti-racisme au gré des besoins électoraux. Si l'on devait chercher un sentiment réel chez E. Macron, c'est celui d'un mépris social généralisé pour les classes sociales modestes qui transparaît dans ses déclarations spontanées, évoquant « *des gens qui ne sont rien* » ou qui devraient apprendre « *d'abord à avoir un diplôme* » avant de « *faire la révolution* ». Ce mépris pour la populasse n'est pas calculé comme son discours réactionnaire, il surgit par inadvertance car il transpire par tous ses pores. Toute autre ligne de fracture est pour lui une construction politique artificielle stratégique.

E. Macron joue donc sur le nationalisme pour s'adresser à tous les Français car c'est un sentiment inter-classiste. Mettre l'accent sur la question identitaire, cela lui permet de fédérer malgré sa politique économique qui ne peut lui rallier qu'une part infime de la population[26]. La question est de placer la frontière entre le « *nous* » et le « *eux* ». Entre la majorité blanche chrétienne, athée ou juive et la minorité arabe, noire, musulmane. Il s'agit d'éviter « *l'alliance des beaufs et des barbares* » souhaitée par Houria Bouteldja contre l'exploitation des classes dominantes. Pour ce faire, le Président use d'un nationalisme d'extrême-droite avec tous ces corollaires qui n'avait plus cours dans la droite de gouvernement depuis la fin de la Seconde Guerre mondiale et qui avait été déterré par N. Sarkozy au tournant du XXIe : la peur de l'immigré comme responsable de l'insécurité et du chômage, la défense de valeurs millénaires et l'assimilation

26 Thomas Frank, dans *Pourquoi les pauvres votent à droite* (Elements, 2013) montre que cette stratégie a déjà fait ses preuves aux Etats-Unis. La question des valeurs et de l'insécurité va embourgeoiser l'identité de la gauche perçue comme laxiste, efféminée, intellectuelle, et prolétariser celle de la droite, jugée plus déterminée, plus masculine, moins « naïve ». La « nouvelle gauche » friande d'innovations sociales, sexuelles et raciales, est perçue comme déstabilisante. Les médias conservateurs n'ont plus qu'à se déchaîner contre ces « progressistes en limousine » protégés d'une insécurité qu'ils contestent avec l'insouciance de ceux que cette violence épargne.

culturelle mais aussi l'identification des opposants comme ennemis de la nation. Ceux qui refusent de s'adonner à l'islamophobie, ceux qui dénoncent les violences racistes, ceux qui défendent le droit international en refusant un soutien inconditionnel à Israël pour écraser les gazaouis et coloniser la Cisjordanie, ceux-là sont, dans une inversion totale des valeurs, accusés de « sortir de l'arc républicain ».

Historiquement, le nationalisme est issu d'un élargissement du « nous » aux classes populaires, accompagnant le suffrage universel et les médias de masse. Mais si la différence de nature qui était postulée jusqu'alors entre la bourgeoisie et les classes populaires s'efface dans le nationalisme, elle est déplacée pour séparer plus strictement les nationaux et les immigrés. Avec, à la faveur des crises, la désignation d'étrangers de l'intérieur, d'abord les juifs et immigrés des pays européens limitrophes au tournant du XXe siècle puis les immigrés africains et leurs descendants au tournant du XXIe. L'enjeu est donc à nouveau d'élargir le « nous » pour espérer des progrès sociaux. Car, pour l'élite au pouvoir, le nationalisme et la xénophobie qui lui est corrélée ne sont destinés qu'à distraire les pauvres et à les diviser. Le nationalisme de façade de la haute bourgeoisie n'est qu'un piège tendu au peuple et s'oppose d'ailleurs en tout point à la mondialisation de la finance qu'ils prônent et qu'ils voudraient même nous présenter comme incontestable.

Chapitre 6
En confondant l'actuel et le potentiel pour préserver l'ordre établi

There is no alternative

Margaret Thatcher

Toute personne qui viendrait remettre en cause l'ordre établi et y proposer des corrections serait un utopiste. En empêchant toute alternative, on impose des limites à la pensée et on interdit tout changement : l'ordre établi se voit préservé car sacralisé.

Selon l'éditorialiste de base, ce qui n'est pas ne peut pas être.

Cela passe d'abord par une négation de l'histoire : on fait mine de penser que le capitalisme libéral est éternel et consubstantiel à l'humanité. Le cas échéant, à la démocratie. Là, l'inculture historique est la clef. Chaque individu est enfermé dans le carcan du présentisme. Envisagez une frise chronologique, une ligne où vous placez 2024 au centre. Ce présentisme se caractérise par la méconnaissance de la partie gauche de la frise, par ignorance du passé ou du fait d'un sentiment qu'il nous est totalement étranger. À l'autre bout de la frise, il se caractérise par l'incapacité à envisager le futur, c'est-à-dire les conséquences de nos actes sur le long terme si l'on continue dans cette voie d'une part et l'incapacité à envisager un futur alternatif d'autre part. Maintenant, effacez les deux côtés de la frise et ne gardez que le moment présent. Le passé s'estompe d'un côté, le futur de l'autre et la ligne devient un point. Ce point, c'est la façon dont l'individu coincé dans le présentisme appréhende le temps. Si l'on ne sait pas que cela a pu en être autrement avant ou ailleurs, quiconque conteste le système actuel est un utopiste et n'est pas « réaliste ». Ou « pragmatique » pour les journaux les plus chics. L'individu n'est pas apte à transformer la société mais simplement à s'y adapter pour réussir du mieux possible dans celle-ci. Ce présentisme est la négation de l'individu citoyen au profit de l'individu producteur et consommateur souhaité par le capitalisme. Les enjeux du vote en sont considérablement réduits.

Cela explique la synchronie entre dérégulation du marché et éclatement de l'URSS. C'est en parallèle à une URSS affaiblie que Reagan et Thatcher libéralisent l'économie dans les années 80 et c'est lorsque l'URSS a disparu que la France a renoncé au keynésianisme et à l'Etat-Providence. Il n'y a plus d'alternative : le communisme n'inquiète plus les classes dominantes qui n'ont dès lors plus besoin d'adoucir le capitalisme pour le faire accepter puisqu'il n'y a plus d’alternative possible pour les classes dominées. Un bataillon de philosophes de bas étage façon BHL sont alors avalisés par les médias (beaucoup moins par les universitaires) pour transformer dans l’opinion un échec historique conjoncturel en un échec structurel nécessaire. Le syllogisme est simple : Staline est communiste, Staline a mis en place une dictature, donc le communisme est la dictature. Ou encore : l’URSS était communiste, l’URSS s’est effondrée, donc le communisme n’est pas viable.

Conclusion : même si vous n’aimez pas le capitalisme ultralibéral, c’est la seule société possible.

Dans cette société de concurrence mondialisée, on n'a pas le choix vous comprenez ? L'intérêt des prolétaires est de défendre celui des actionnaires. Ces derniers jouent de leur hypermobilité et de l'hypermobilité du capital permises par l'ouverture des frontières (une ouverture asymétrique à leur profit). Si l'on augmente les impôts sur les sociétés ou vos salaires, les entreprises vont délocaliser. Si l'on augmente les impôts des 10 % les plus riches, ils vont s'exiler et ne paieront plus rien en France. Pire, il n'y créeront plus d'emplois ! À l'inverse, si l'on diminue ces impôts, les cotisations patronales et les salaires, tous les Français vont en profiter : c'est le ruissellement ! Les baisses d'impôts sur les hauts revenus sont censés encourager l'investissement et finir par profiter à tous.

« Tous unis pour la croissance du PIB ». Cette pseudo-convergence d'intérêts à l'échelle nationale, pour faire face à la mondialisation, prend en fait la forme d'un chantage et elle est totalement démentie par les chiffres. Ni aux États-Unis, ni au Royaume-Uni ni en France, le néolibéralisme initié dans les années 80 n'a permis de réduire la pauvreté. Il a simplement accru les inégalités au profit des actionnaires et au détriment des travailleurs. Ainsi, depuis l'élection de R. Reagan qui a initié cette politique aux États-Unis et lancé la tendance, la croissance du revenu national brut par habitant a été divisée par deux et les 50 % des revenus les plus bas n'ont eu carrément aucune croissance, situation inédite dans l'histoire du pays. *In fine*, cette politique a concentré la propriété, augmenté les inégalités, augmenté la dette publique et dégradé les services publics. Elle a pourtant été généralisée au monde entier, sans que le ruissellement n'ait lieu. Selon l'Oxfam, les 1 % les plus riches ont capté la moitié de l'augmentation de toutes les nouvelles richesses dans le monde dans la décennie 2010. Cette concentration s'accélère : depuis 2020, ces 1 % ont capté les 2/3 des nouvelles richesses, soit 6 fois plus que 90 % de l'humanité. Pour chaque dollar de nouvelle richesse gagné par ces 90 %, un milliardaire a gagné 1.7 millions de dollars. Cela ressemble plus à un grand bassin de rétention qu'à du ruissellement.

Pourtant, toute volonté de transformer la société est présentée comme au mieux irréaliste, au pire dangereuse. Il s'agit donc de se soumettre à la fatalité : l'élection n'est pas un choix de société mais se résume à choisir le meilleur gestionnaire de la société actuelle.

C'est typiquement ce discours sur lequel a joué E. Macron en 2017. Il se définissait à l'époque comme « *ni de gauche, ni de droite* », comme celui qui dépassait les clivages partisans. Il était le candidat de la réussite, celui de la « *startup nation* ». Les élections ne seraient plus un affrontement entre des idées et intérêts opposés mais la sélection d'une élite éclairée capable de gérer le pays au mieux pour augmenter le PIB. Quiconque défend d'autres objectifs est accusé d'être « *dans l'idéologie* ». Pourtant, ce mot ne devrait pas être en soi une insulte. Le Larousse le définit comme un « système d'idées générales constituant un corps de doctrine philosophique et politique à la base d'un comportement individuel ou collectif » ou « l'ensemble des représentations dans lesquelles les hommes vivent leurs rapports à leurs conditions d'existence (culture, mode de vie, croyance) ». Dénoncer « l'idéologie », c'est faire l'éloge du vide, se vanter de n'avoir aucune idée ni aucune conscience du monde qui nous entoure et d'agir sans but. Ce qui devrait être dénoncé n'est donc pas l'idéologie mais l'aveuglement idéologique, le fait de persister dans son système d'idées même si le réel invalide cette vision du monde. Or, le néolibéralisme porté par E. Macron relève non seulement de l'idéologie mais de l'aveuglement idéologique. Augmenter indéfiniment la production dans un monde aux ressources limitées, favoriser l'achat de yachts quand certains ne mangent pas à leur faim, financer l'industrie de l'énergie fossile responsable du dérèglement climatique, cela relève de l'aveuglement idéologique. Même si cette idéologie est monomaniaque - acquérir pour soi le plus d'argent possible et consommer le plus possible -, elle n'en est pas moins une idéologie avec ses croyances et ses totems. Ce système repose sur l'idéologie de la méritocratie et le culte de la croissance économique qui permettent respectivement de justifier les injustices et la destruction de notre environnement. Comment supporter de passer devant un SDF avant d'aller s'acheter un sac à 1000 euros si l'on n'a pas incorporé les valeurs d'individualisme exacerbé et le sentiment de méritocratie ? Comment autoriser de nouveaux forages pétroliers si l'on n'a pas pour unique boussole la croissance économique ? On peut parler d'aveuglement idéologique parce que ce système de pensée génère des comportements en contradiction avec ce qui fait la base du réel : notre propre survie. Qui manque de pragmatisme ? Celui qui veut transformer un modèle économique particulier qui ne dépend que de constructions sociales ou celui qui veut maintenir ce système alors qu'il détruit biologiquement nos conditions d'existence ?

Le néolibéralisme avance tellement sûr de lui que certains de ses thuriféraires croient sincèrement qu'il ne relève pas d'une idéologie. D'autres jouent sur ce fait pour faire croire qu'il est incontestable, que les hommes sont voués à vivre dans ce système comme les poissons sont voués à vivre dans l'eau. Ils érigent en vérité intangible ce qui relève en fait de leur vision du monde située socialement.

Plus prosaïquement, le sentiment qu'il n'y a pas le choix repose aussi sur la façon dont la nation a été dépossédée de sa souveraineté. Ainsi, alors que F. Mitterrand est élu en 1981 sur un programme social qu'il met en œuvre au début de son mandat, il lance un « *tournant de la rigueur* » en 1983 au nom d'un alignement jugé nécessaire sur la politique néolibérale mise en place par M. Thatcher et R. Reagan. Les décisions politiques nationales sont mises sur le dos de la compétitivité nécessaire dans le cadre de la mondialisation ou sur celui des injonctions de l'Union Européenne, dont le pouvoir, il est vrai, s'est nettement accru à partir du traité de Maastricht de 1992.

De tous ces phénomènes découle une résignation politique. Les années 60-70 ont vu fleurir les essais politiques et philosophiques. Aujourd'hui, les seuls essais qui connaissent des succès en librairie sont consacrés au développement personnel. Il s'agit, pour paraphraser Descartes, de changer ses désirs plutôt que l'ordre du monde. D'atteindre le bonheur par une autre manière d'appréhender le monde plutôt que par une transformation du monde et une réelle emprise sur celui-ci. On nous apprend comment être heureux personnellement, comment changer sa façon de voir ou d'être pour correspondre aux attendus de la société, plutôt qu'à réfléchir aux conditions collectives d'émergence du bonheur en transformant la société. Plutôt lire la biographie inspirante d'un entrepreneur que l'essai d'un philosophe. C'est la mort de la politique.

Ainsi, la pensée est bornée dans des carcans qui visent à maintenir l'ordre social. La politique serait l'affaire d'une élite qui gouvernerait par et pour la raison, en gardant toujours le même cap. Si le peuple vient à s'y opposer, ces élites y voient une foule guidée par ses émotions et ses bas instincts. Dans cette manière de voir, la lutte des classes et les autres modalités d'action politique qui relèvent d'une démocratie plus directe sont fustigées voire criminalisées.

Chapitre 7
En s'appuyant sur l'autorité du suffrage universel pour déligitimer l'action directe et toutes les formes de démocratie directe

> *L'époque des élections générales approchait, et, chaque jour, l'aspect de l'avenir devenait plus sinistre ; toutes les nouvelles qui arrivaient de Paris nous représentaient cette grande ville comme étant sur le point de tomber sans cesse dans les mains des socialistes armés. On doutait que ceux-ci laissassent faire les électeurs, ou du moins qu'ils se soumissent à l'Assemblée nationale. Déjà, de toutes parts, on faisait jurer aux officiers de la garde nationale de marcher contre l'Assemblée s'il s'élevait un conflit entre celle-ci et le peuple.*

Tocqueville, dans ses *Souvenirs*, pointait ici les deux centres de gravité de la démocratie naissante : l'assemblée représentative et le peuple en armes.

D'un côté, l'action directe menée par les forces progressistes les plus impliquées, prêtes à donner leur vie. De l'autre, les partisans de la délégation de pouvoir menés par les forces conservatrices et des citoyens soucieux avant tout de préserver l'ordre et leur sécurité.

À partir de 1789 et avant l'instauration du suffrage universel, ce sont les citoyens les plus politisés qui font l'histoire. En février 1848, reconnaissant ainsi la légitimité du peuple parisien qui se révolte, le roi Louis-Philippe s'enfuit sans opposer de réelle résistance. En juin 1848, forts de la légitimation du suffrage universel, les conservateurs au pouvoir répriment violemment l'insurrection populaire. C'est là un tournant majeur de l'histoire en tant qu'il change la conception française de la démocratie.

Dès lors que les républicains révolutionnaires ont instauré le suffrage universel, ils perdent tous les combats lorsqu'il s'agit de prendre le pouvoir par l'émeute : en juin 1848 où le gouvernement fraîchement élu réprime férocement les insurgés, en juillet 1871 où la Commune insurrectionnelle est violemment réprimée par Adolphe Thiers lors de la semaine sanglante, ou encore le 30 juin 1968 où il suffit que la « majorité silencieuse » gaulliste donne à son groupe la victoire à l'assemblée pour mettre un point final au mouvement de mai.

« Ce n'est pas la rue qui gouverne » s'exclamait J-P Raffarin au tournant du XXIe siècle pour justifier le fait

qu'il campait sur ses positions alors que des millions de personnes défilaient contre ses lois de régression sociale. L'affirmation a été maintes fois reprises depuis par les gouvernements élus. Quid alors de la Révolution Française pour ces gens-là, qui choisissent de mépriser à ce point l'engagement politique des masses ? N'est-ce pas la rue qui a fait naître la première République ?

Prétendre que ce n'est pas la rue qui gouverne est une forme de négationnisme.

La rue a pris la Bastille le 14 juillet 1789 pour y trouver les armes nécessaires à la Révolution, la rue (ou plutôt la campagne) a obtenu l'abolition des privilèges la nuit du 4 août 1789 en raison de la Grande Peur inspirée aux nobles de province par la violence des paysans, la rue a chassé le roi du pouvoir en septembre 1792 en prenant d'assaut le palais des Tuileries. La rue a obtenu une charte libérale en 1830 pour limiter le pouvoir de la monarchie, c'est même la rue qui a obtenu le suffrage universel en 1848 ! Comment peut-on décemment les opposer ? Depuis, la rue n'a certes jamais causé un renversement total du gouvernement, mais elle en fait céder plusieurs à ses revendications: c'est la rue qui a permis aux travailleurs d'obtenir les congés payés, une réduction du temps de travail et une augmentation des salaires en juin 1936 par la grève générale en soutien au Front Populaire (les "grèves joyeuses" caractérisées par leur importance numérique et leur forme: les occupations d'usines), la rue a obtenu la libération de la France par les FFI en 1944 puis de nouveaux droits sociaux en 1945 (Sécurité sociale notamment) que les grèves de masse orchestrées par la base de la CGT en 1947-1948 ont permis de renforcer. En 1968, la rue a obtenu une augmentation des salaires et une transformation majeure des mentalités. En 2019, la rue n'a pas été écoutée lors des défilés pacifiques rassemblant des millions de personnes contre la réforme des retraites mais les gilets jaunes, moins nombreux, ont réussi à faire plier le gouvernement en inspirant la peur aux classes dominantes par des actions spectaculaires (porte du secrétariat d'État de Benjamin Grivaux enfoncée par ce que la presse a décrit comme un trans-palette, vandalisation du Fouquet's, prise de contrôle des péages…).

Il est important de rappeler ces faits car l'histoire est souvent édulcorée et "pacifiée" : les acquis de la période du Front Populaire sont souvent attribués à tort à la seule action du gouvernement élu, on oublie que la sécurité sociale est issue du programme du Conseil National de la Résistance qui a libéré la France par les armes et les grèves massives de l'après-guerre, qui ont fait craindre une révolution, sont rejetées aux oubliettes de l'histoire.

En France, l'Histoire montre que les dominants ne renoncent à leurs privilèges que lorsqu'un retournement des rapports de force les y contraint[27].

Le vote ne suffit pas. Le seul exemple de progrès social conséquent acquis par les urnes est la politique mise en place par F. Mitterrand en 1981 mais celui-ci tourne le dos à son électorat dès 1983 en opérant le « *tournant de la rigueur* ». Non seulement les résultats du suffrage universel sont biaisés par les mécanismes que nous avons explicités plus haut, mais en plus, une fois au pouvoir, le personnel politique a tendance à déroger à son programme en faveur des puissants. Jacques Chirac le résumait bien par la formule « *Les promesses n'engagent que ceux qui les croient* ». Nicolas Sarkozy choisit plutôt de l'illustrer par l'exemple en passant outre le « non » au referendum de 2005 et en imposant la Constitution Européenne aux Français. Emmanuel Macron, pour s'attirer le vote de la classe moyenne, se prétendait auprès d'eux « *ni de droite ni de gauche* » tandis qu'il promettait secrètement aux plus riches qui finançaient sa campagne une politique ultralibérale. Quant à Georges Clemenceau, pour remonter le fil de l'histoire, il est le symbole du revirement que peuvent opérer les politiciens de gauche une fois au pouvoir. De l'ardent défenseur de la classe ouvrière alors qu'il était dans

---

27 Andreas Malm, dans *Comment saboter un pipeline* (La fabrique, 2020), établit le même constat à l'échelle du monde et dresse un bilan historique édifiant

l'opposition, il deviendra l'un des briseurs de grèves les plus violents une fois au pouvoir.

La politique est un rapport de force permanent. La mobilisation sociale est vitale pour le peuple dans le vacarme de la rue car, de l'autre côté, les classes dominantes mettent en place d'autres méthodes de pression dans le murmure feutré des couloirs (cf. chapitre 9). Ces dernières voudraient rendre leurs méthodes légitimes voire invisibles et déligitimer celles des couches sociales inférieures pour mener une lutte souterraine et sans adversaire.

Voilà pourquoi les classes dominantes s'accommodent du suffrage universel mais mènent une lutte idéologique acharnée contre toutes les formes de l'action directe. Leurs attaques reposent sur 3 axes : la soi-disant non-représentativité d'actions minoritaires, la prétendue violence et la stigmatisation de grincheux *« gaulois réfractaires »* qui empêcheraient le pays d'avancer. Déboutons-les.

D'abord, l'autorité du suffrage universel est instrumentalisée pour délégitimer les formes de démocratie plus directe au nom de la représentativité que seule l'élection pourrait conférer. C'est la rhétorique de la *« majorité silencieuse »*. Pourtant, nous avons vu que les élus de la République ne sont pas si représentatifs quel que soit le sens qu'on accorde au mot. D'une part, du fait de l'abstention, ils ne représentent plus jamais la majorité des inscrits. Doit-on accepter que l'avis d'E. Macron prévale sur tous les sujets alors qu'il ne représente qu'un Français sur cinq ? L'accent est souvent mis sur la faible représentativité des syndicats : pourtant, la CGT comporte 600 000 adhérents là où le parti Renaissance en comporte environ 20 000 soit 30 fois moins. Que ce soit la CGT ou la CFDT, un seul de ces syndicats comporte plus d'adhérents que l'ensemble des partis réunis. D'autre part, la composition sociale des syndicats -et plus encore celle des mouvements sociaux spontanés- est bien plus représentative de l'ensemble de la société que la composition sociale du Parlement et du gouvernement.

Ceci étant posé, nous pouvons aussi interroger la valeur d'un vote comparée à la valeur d'une manifestation. Se déplacer vers une grande ville pour se rendre à la manif, se garer dans la cohue, perdre une journée de salaire en faisant grève, y consacrer trois heures ; n'est-ce pas là plus significatif de la détermination et de l'intérêt que les acteurs portent à ce sujet que de se rendre un dimanche matin dans l'école d'à côté pour aller glisser dans l'urne en cinq minutes un bulletin anonyme ? Ne parlons même pas des ZAD qui impliquent de vivre sur place ou des grèves de la faim comme on a pu en voir contre la construction de l'autoroute A69. L'intensité de ces actions a une autre valeur que la simple question du nombre. Elles montrent que les citoyens ont envie de s'emparer de ce sujet. À l'inverse, ce n'est pas parce qu'on a voté pour un candidat que l'on est d'accord avec lui sur tous les sujets, voire simplement même qu'on s'y intéresse. On peut ne pas vouloir prendre tout le package, on peut aussi s'insurger d'une mesure qui ne figurait pas dans le programme. En l'absence de Référendum d'Initiative Citoyenne (RIC) et de l'impossibilité de révoquer des élus, les manifestations sont fondamentales pour que les citoyens puissent exprimer un désaccord. En votant, les citoyens, parce qu'ils n'auront pas le temps de délibérer sur tous les sujets ni même de les étudier, délèguent leur pouvoir de décision à des représentants. À Athènes, tous les citoyens étaient indemnisés par le misthos pour pouvoir abandonner leur travail durant les journées où ils se rendaient à l'Ecclésia afin de voter directement les lois. Aujourd'hui, la rémunération est beaucoup plus conséquente et permet de désigner des personnes qui sont déchargées du travail productif pour s'intéresser à plein temps à la chose publique, délibérer et décider en notre nom. Mais lorsque des personnes prennent le temps, sur leur temps de loisir ou sur leur temps de travail en grevant leur salaire, de faire de la politique ; s'ils sont par exemple 2 millions à battre le pavé contre la réforme des retraites, ne serait-il pas pertinent de les écouter ?

Reste la question de la supposée violence de ces actions. Ces dernières sont de plus en plus stigmatisées comme violentes alors qu'elles sont en fait de plus en plus pacifiques.

Pour exemple, le traitement médiatique des grèves. Le vocabulaire employé est militaire puisque les journalistes ont pris l'habitude de plaindre les usagers « pris en otage ». La grammaire du fait divers chère aux journalistes, étudiée par Dominique Kalifa, est transposable à la médiatisation des grèves. Il s'agit de capter l'attention du grand public et de lui proposer une vision simple du monde : les usagers sont les victimes, les grévistes les agresseurs et les policiers qui tabassent les manifestants ou tout au moins les empêchent de mener leurs actions sont les sauveurs. Le patron ou l'homme politique responsable du mécontentement des grévistes est un personnage secondaire non évoqué… Le travail journalistique consiste à donner la parole à un usager mécontent pour stigmatiser la grève. Les revendications des grévistes ne sont généralement pas développées ni même simplement exposées. Une autre clef de lecture pourrait s'avérer plus pertinente en remontant à l'origine de la grève : le patron ou l'homme politique à l'origine de la régression sociale enclenchant la grève serait l'agresseur, le gréviste la victime tentant de devenir son propre sauveur. L'usager serait quant à lui le personnage secondaire. Cela permettrait, me semble-t-il, de mieux cerner l'enjeu du conflit.

Mais l'objectif des grands médias aujourd'hui, comme on l'a dit plus haut, est de faire de l'audience voire de défendre les intérêts des classes dominantes, pas de proposer la grille de lecture du monde la plus pertinente. Plutôt que de traiter la grève comme le simple sommet de l'iceberg, à savoir le conflit opposant les travailleurs à la direction de l'entreprise ou au gouvernement, elle est retranscrite pour elle-même comme un spectacle.

Ce sont les violences marginales, les « débordements » qui vont focaliser l'attention. Et si jamais l'on donne la parole à un responsable syndical, ce sera pour exiger de lui de « condamner ces violences ». Cette posture médiatique place les mouvements sociaux dans une impasse. Soit ils refusent de s'adonner à des coups de force et se condamnent à l'invisibilité, soit ils s'y adonnent et les médias les condamneront en boucle.

Il faut s'interroger sur cette notion de violence brandie à tort et à travers par les médias de masse.

« *Il y a trois sortes de violence. La première, mère de toutes les autres, est la violence institutionnelle, celle qui légalise et perpétue les dominations, les oppressions et les exploitations, celle qui écrase et lamine des millions d'hommes dans ses rouages silencieux et bien huilés. La seconde est la violence révolutionnaire, qui naît de la volonté d'abolir la première. La troisième est la violence répressive, qui a pour objet d'étouffer la seconde en se faisant l'auxiliaire et la complice de la première violence, celle qui engendre toutes les autres. Il n'y a pas de pire hypocrisie de n'appeler violence que la seconde, en feignant d'oublier la première, qui la fait naître, et la troisième qui la tue.* » Cette typologie des violences exprimée par l'évêque brésilien Helder Camara nous aide à prendre le recul que n'ont manifestement pas la plupart des médias.

Le 5 octobre 2015, le DRH en charge du « plan de restructuration » de 2900 salariés d'Air France est pris à partie : sa chemise est déchirée sans qu'aucun coup ne soit porté contre lui malgré la présence massive de salariés licenciés.

Qui est violent ? Les salariés en colère ou l'entreprise qui les met au chômage ? Si l'on mesure la violence à l'ampleur des dégâts, le prix de la chemise du DRH n'excède certainement pas sa prime pour mettre en place le « plan de restructuration » tandis que les salariés licenciés vont être privés de revenus. Si l'on juge la violence à sa légitimité, il semble que licencier quelqu'un alors qu'il a accompli son travail est de la violence gratuite tandis que quelqu'un qui arrache la chemise de celui qui le prive de son emploi a des raisons d'être énervé. Si l'on juge à l'aspect spectaculaire des images, l'acte de violence le plus marquant est celui de la chemise arrachée : bingo, c'est l'axe choisi par les médias et la vidéo a fait le tour de l'Europe. C'est dire si le seuil de tolérance à la violence politique est tombé bien bas.

« On dit d'un fleuve qu'il est violent parce qu'il emporte tout sur son passage mais nul ne taxe de violence les rives qui l'enserrent. » écrivait Bertolt Brecht.

Pierre Bourdieu parlait ainsi de violence douce de l'économie, qui s'exerce en mobilisant les moyens symboliques de la communication pour engendrer une acceptation implicite de l'ordre établi afin que celui-ci semble légitime même pour ceux qui en sont les victimes.

Le 4 septembre 2020 sur son site, *le Point* évoque en titre que 17 gilets jaunes seront jugés pour le « *saccage de l'arc du triomphe* ». Au cœur de l'article, on en apprend plus sur ledit saccage. « *Quatre personnes parmi ces dix-sept seront par ailleurs jugées pour des vols par effraction : « tour Eiffel miniature », « cartes postales », « livres » ou encore « reproduction d'un pistolet à silex Napoléon an III ». Six sont renvoyées devant le tribunal de police pour la seule contravention d'« intrusion non autorisée dans un lieu classé ou inscrit au patrimoine historique ». Une personne se voit reprocher la dégradation d'une statue ; deux, des « coups de pied et d'extincteur sur une porte » ; un manifestant lié à l'ultra-droite, un tag sur l'Arc ; un autre, la dégradation d'une vitre d'un préfabriqué.* » À savoir : ladite statue est une reproduction en carton-pâte. Le choix du terme « *saccage* », qui reflète bien la ligne générale des médias sur l'événement, laisse perplexe.

Cette « violence » mise en avant par les médias était pourtant bien moins intense que la violence de la police, le troisième type de violence évoqué par Helder Camara. Rappelons que les violences policières face aux gilets jaunes auront causé 25 800 blessés, 353 blessés à la tête dont 30 éborgnés, 5 mains arrachées, un décès. Derrière ces chiffres, des hommes et des femmes. Le 8 décembre 2018, sur les Champs Elysées, un homme aux dreadlocks, les bras grands ouverts dans la position de l'homme de Vitruve, reçoit une balle de LBD dans le ventre, à bout portant. Le 12 janvier 2019, un homme qui fuit les violences policières, pompier au demeurant, subit un tir de LBD dans l'arrière du crâne et s'écrase au sol, immobile. Le samedi 23 mars 2019, une femme de 73 ans est chargée par la police et perd connaissance dans une flaque de sang. Les vidéos de témoins diffusées sur internet sont la mémoire de ces tragiques événements sous-médiatisés.

Ce lourd bilan humain correspond à la débauche de moyens employés. C. Castaner a avoué que les forces de l'ordre avaient employé 1 193 projectiles en caoutchouc, 1 040 grenades de désencerclement et 339 grenades GLI-F4 durant la seule journée du samedi 1er décembre. Des armes dénoncées par l'ONU et le Conseil de l'Europe. Entre le 17 novembre 2018 et le 5 février 2019, 13 460 tirs de LBD par la police ont été recensés. Pourtant, dans la presse, cette violence est moins évoquée et souvent en la présentant comme acceptable au nom du fait qu'elle relève de l'Etat. L'élection donnerait le droit de massacrer les déviants au nom du « *monopole de la violence légitime* » suivant la phrase décontextualisée et détournée du philosophe M. Weber.

Cette brutalisation de l'ordre manifestant[28] nous ramène dans le passé. La IIIe République naît dans la répression d'un mouvement d'émancipation en 1871 lorsqu'A. Thiers réprime la Commune dans le sang et montre ainsi que l'Assemblée est capable de maintenir l'ordre et la sécurité à des provinciaux inquiets. Les grèves ouvrières de la fin du XIXe ont connu aussi de sévères répressions, à l'image du massacre de Fourmies que la célébration du 1er mai nous rappelle chaque année à la mémoire. Mais dans la deuxième moitié du XXe siècle et jusqu'au début des années 2010, le maintien de l'ordre avait été pacifié. Depuis l'ère Macron, le maintien de l'ordre ressemble plutôt à des représailles violentes comme on pouvait en connaître il y a 150 ans. Cela est une conséquence d'un regain du mépris de classe qui incite à considérer le peuple comme sauvage et dangereux, comme d'une autre nature. En témoignent symboliquement les mots de « horde », de « foules » ou de « meutes » employés par les médias et le personnel politique. En témoigne concrètement l'emploi de la Brigade Anti Criminalité qui renvoie à une criminalisation de la manifestation alors que le maintien de l'ordre était l'affaire des CRS depuis la fin de la Seconde Guerre mondiale. Cela est lourd de conséquences : les CRS ne sont responsables que de 15 % des tirs de LBD pendant la crise des gilets jaunes et la plupart des bavures sont le fait de la BAC.

---

28 Olivier Fillieule et Fabien Jobard, *Politiques du désordre. La police des manifestations en France,* Seuil, 2020.

Cette criminalisation du manifestant s'accompagne d'une multiplication des interpellations et d'une judiciarisation inédite. Entre novembre 2018 et juin 2019, soit pendant le temps fort des manifestations de gilets jaunes, 10 000 personnes ont été placées en garde à vue et 3 100 condamnés[29]. Cela reflète une nouvelle tactique imposée aux policiers et qui explique beaucoup d'affrontements et de bavures, à savoir interpeller les manifestants violemment au beau milieu des manifestations. Ces interpellations ont pour double fonction d'intimider les manifestants et de servir la rhétorique politique de l'illégalité des manifestations.

À son tour, la brutalisation du traitement du conflit social par le gouvernement engendre des climats d'émeutes, servant paradoxalement le discours contre les manifestants qui subissent les violences policières. En effet, voir les fumées des gaz lacrymogènes sur les Champs Elysées affole les personnes âgées qui regardent leur télévision et sert le discours sur les manifestants comme auteurs de violences alors qu'ils ne font que les subir. Si les policiers sont violents, c'est forcément qu'ils ripostent donc plus ils sont féroces, plus cela signifie aux yeux du public que les manifestants sont violents. Si la justice condamne les manifestants, c'est qu'ils sont dans l'illégalité donc plus elle

29 *Le Monde*, le 8 novembre 2019, « Gilets jaunes : 10 000 gardes à vue, 3100 condamnations... Une réponse pénale sans précédent », Elise Vincent

est sévère et plus la police interpelle, plus cela signifie aux yeux du public que les manifestants sont dangereux.

Il est vrai qu'à force d'ignorer les manifestations pacifiques, à force de n'écouter la voix du peuple ni lorsqu'elle s'exprime dans la rue ni lorsqu'elle s'exprime au Parlement, nous assistons à un retour progressif de la violence dans le conflit social. L'autoritarisme d'E. Macron fait monter la pression dans la cocotte-minute. Un pacifiste qui prend des coups chaque jour ne reste pas éternellement pacifiste.

Pour souffrir d'infliger ce genre de répression ultra violente inédite depuis la fin du XIXe et réservée aux algériens dans l'après-guerre, il faut une distance sociale très forte, presque une déshumanisation. C'est le fruit d'une disjonction qui n'a jamais été aussi grande depuis un siècle entre la caste des élus et la majorité des français. Les médias et la rhétorique du factieux violent se chargent de cette distanciation avec le reste du peuple qui appartient pourtant à la même classe sociale, a pourtant les mêmes intérêts et subit pourtant les mêmes injustices. Il s'agit de faire croire que ces manifestations s'opposent au suffrage universel au lieu de les présenter comme complémentaires. D'ériger les quelques dégâts matériels portés contre les symboles du pouvoir (Fouquet's, banque, porte d'un ministère, barrières de péage) en ultra-violence. « Neutralisez-moi ces violents barbares anti-démocrates » pourrait résumer le discours médiatique et politique. Pourtant, les gilets jaunes réclamaient le Referendum d'Initiative Citoyenne (RIC) et plus de justice fiscale. Les écologistes de Sainte-Soline réclamaient un meilleur partage de l'eau contre l'accaparement par des lobbys agro-industriels. Les émeutiers des cités réclamaient une police qui respecte l'Etat de droit et ne soit pas gangrenée par le racisme. Tous réclament plus de d'égalité et plus de souveraineté populaire et on voudrait les présenter comme des ennemis de la démocratie. Comme si le seul engagement politique tolérable était le vote et que les seuls citoyens légitimes à agir étaient les élus. Mais ce n'est pas ça la démocratie : la démocratie se nourrit de la complémentarité des actions directes et du scrutin. Celui-ci sans celles-là, nous l'avons vu, ne peut conduire qu'à l'accaparement du pouvoir par les ultra-riches.

Une du *Point* en Janvier 2020

Philippe Martinez est ici représenté en position de fermeture, les bras croisés, le visage fermé illustrant parfaitement le mot de « gronde » si cher aux éditorialistes. Il incarne parfaitement le gaulois réfractaire, le grincheux, le râleur invétéré. Il contraste avec les photographies d'E. Macron évoquées plus haut, souriant et les bras ouverts. Est-ce à dire que ces images reflètent des caractères opposés dans la réalité, que P. Martinez vit en tirant la gueule alors qu'E. Macron vit en souriant et en écartant les bras ? Non, bien évidemment, il s'agit d'un choix éditorial visant à véhiculer des opinions. Le message simpliste au-dessus « *Comment la CGT ruine la France* » achève P. Martinez : le syndicat qu'il dirige ruine la France, c'est un axiome incontestable pour *le Point*, il s'agit simplement de savoir comment. Je suis bien placé pour savoir que ce titre est clairement un parti pris. Pourtant, le magazine se prétend neutre.

Pourquoi la CGT est-elle ainsi accablée ? Car c'est l'un des derniers bastions de la solidarité de classe et de l'action populaire. Il est important pour les classes dominantes d'atomiser les classes populaires, de les cantonner à l'individualisme pour les affaiblir. L'image du syndicat qui est contre les avancées s'est ainsi imposée dans les médias au mépris de la réalité historique : c'est la CGT qui a acquis les congés payés et la réduction du temps de travail en 1936 et qui a obtenu des multiples avancées sociales de l'après-guerre aux années 70.

On conduit les travailleurs dans un mur et on leur reproche de freiner.

Par une inversion totale des valeurs, la CGT est taxée aujourd'hui d'empêcher la société d'avancer parce qu'elle s'oppose aux régressions sociales que veulent imposer les classes dominantes. Le progrès de la société serait de renoncer à son confort de vie et d'être exploité sans limites : quiconque défend ses droits et sa protection sociale est présenté comme réactionnaire !

En cherchant cette une sur Philippe Martinez que j'avais encore en tête pour l'avoir subie sur tous les abris bus à l'époque, je suis tombé sur la dernière une du *Point* à propos du procès de Nicolas Sarkozy : « *Les coups tordus d'une justice très politique* ». Encore une fois, un bel exemple de neutralité. Pour paraphraser la Fontaine, selon que vous soyez puissant ou misérable, les jugements du *Point* vous rendront blanc ou noir. Bien que je n'aie pas choisi d'acheter ce journal, il s'impose dans l'espace public.

La démocratie est, selon Jacques Rancière[30], partout où est la capacité des gens ordinaires à trouver des modes d'action pour agir sur des affaires communes. Or, depuis la Révolution et la loi le Chapelier qui interdisait les réunions, la hantise des classes dominantes est que les classes populaires s'auto-organisent et révèlent ainsi que les structures de domination ne sont pas nécessaires.

Les syndicats n'ont été autorisés qu'à la fin du XIXe siècle. La Sécurité Sociale, organisée non par l'Etat mais directement par les concernés (les travailleurs), a été pourfendue dès sa création et peu à peu placée sous la coupe

---

30 Jacques Rancière, *Le maître ignorant*, Fayard, 1987

du patronat et de l'Etat. En effet, la réforme de 1967 faisait passer le rapport entre travailleurs et patronat de 75-25 à 50-50, jouant sur le double collège comme dans les années 50 en Algérie pour minoriser la majorité démographique. Puis les représentants élus par les salariés sont devenus des représentants désignés par les autorités. Le paternalisme de nos classes dominantes a joué à plein, ceux-ci prétendant savoir mieux gérer le budget de la Sécu et la « sauver ». Bilan ? Le trou s'est élargi.

Aujourd'hui, cette hantise de l'implication du peuple en dehors du vote s'exprime à plein avec la macronie. Dissolution des Soulèvements de la Terre et condamnation de la CGT pour leur participation à la manifestation de Sainte-Soline, expulsion violente des ZAD qui proposent un mode de vie alternatif en démocratie directe, interdiction même d'une pétition ! En effet, la pétition contre la Brav-M, unité de police motorisée fondée en 2019, a été interdite. Bilan ? Un mort et des blessés graves.

Ainsi, alors que les classes populaires ont été éjectées des institutions représentatives, leurs derniers leviers d'action qui sont l'action syndicale, les pétitions et l'auto-gestion sont méprisés voire mis à l'index. Donc non contents de dépolitiser les citoyens par une pseudo neutralité journalistique, les médias de masse conchient ceux qui persistent dans l'engagement politique.

Ceci n'est pas étonnant car il est très compliqué pour les classes dominantes de contrôler un mouvement social. Le mouvement des gilets jaunes, par exemple, a bénéficié au départ d'une réelle bienveillance dans la presse alors qu'il se résumait à poser un gilet jaune sur son tableau de bord pour dénoncer une taxe vendue comme écologique. Mais, porté par sa logique propre et imprévisible, le mouvement est devenu un mouvement aux ambitions plus larges, à savoir plus de justice fiscale et plus de démocratie. Il a aussi revu ses modalités d'action puisque très vite, les gilets jaunes ont décidé d'occuper le terrain, des ronds-points des villes moyennes au centre du pouvoir parisien en passant par les lieux de l'économie capitaliste. Le mouvement s'est politisé et s'est radicalisé dans la délibération. La dimension collective de ce genre de mouvement extrait les individus du cocon individualiste de la famille mononucléaire -terreau du repli sur les intérêts individualistes- et les amène à penser collectif. C'est ce que les sociologues désignent sous le terme de pratico-inerte : les structures dans lesquelles je me trouve influencent ma praxis, mon action. Par les mouvements sociaux de ce type, les individus ne forment plus une juxtaposition d'égoïsmes privés séparés par les murs de leur maison et de leur jardin individuel mais sont pris dans un sentiment d'appartenance collective qui renouvelle leurs réflexions dans les lieux communs qu'ils occupent. Le mouvement des gilets jaunes s'est aussi enrichi de sa diversité sociologique, donnant la parole à des gens de divers horizons : chauffeurs-routiers, avocats, petits commerçants. Les idées au départ centrées sur le refus de payer une taxe, position que l'on a pu qualifier de poujadiste, se sont peu à peu gauchisées avec une remise en question de l'injustice fiscale. Ces évolutions n'ont pas plu à la presse qui a vite retourné sa veste. Le gouvernement a quant à lui durci férocement sa répression.

Si les mouvements sociaux sont un mode d'expression et de participation populaire difficile à contrôler, il est en revanche plus aisé pour les ultra-riches d'influencer une élection et de contourner la logique « un citoyen = une voix ».

Chapitre 8
En finançant les campagnes électorales

D'après nos estimations, le prix d'un vote est d'environ 6 euros pour les élections législatives en France et de 32 euros pour les élections municipales.

Julia Cagé, *Le prix de la démocratie*[31]

Depuis les années 80, le financement des campagnes électorales en France a connu de plus en plus de contraintes qui limitent ce facteur d'inégalités entre les candidats en lice. Pourtant, des inégalités fortes subsistent en faveur des catégories les plus riches de la population.

En moyenne, les candidats de la droite aux élections législatives reçoivent 18 000 euros en dons privés tandis que les candidats du PS reçoivent moins de 10 000 euros et ceux du PC 2 300 euros. Aux élections municipales, les candidats de droite reçoivent en moyenne 3 400 euros de plus en dons privés que les candidats de gauche. Il n'est pas étonnant que les partis défendant les intérêts des classes sociales les plus

31 Julia Cagé, *Le prix de la démocratie*, Fayard, 2018 ; Folio, 2020

riches reçoivent des dons supérieurs à ceux qui défendent les intérêts des plus pauvres. D'autant que les plus riches y sont encouragés par des déductions fiscales qui réduisent de 2/3 le coût de leur don, déductions fiscales qui ne concernent pas les plus pauvres : en résulte que l'Etat finance chaque année à hauteur de 70 millions d'euros environ les partis choisis par les plus riches. Cela est d'autant plus grave que Julia Cagé et Yasmine Bekkouche ont également démontré par une étude statistique approfondie que l'argent dépensé par les candidats a un impact sur le nombre de voix obtenues. Plus les dépenses d'un candidat dans une circonscription sont élevées par rapport à celles de ses concurrents, plus le pourcentage de voix obtenues par ce candidat aux élections législatives est important. Evidemment, les chiffres donnés dans la citation qui introduit ce chapitre sont une moyenne et peuvent souffrir des exceptions, mais les statistiques révèlent des récurrences frappantes : qui paie gagne.

Ainsi, Julia Cagé apporte une explication inédite à l'étrange défaite de la droite aux élections législatives de 1997 et donc à la victoire de la gauche menée par L. Jospin. Le facteur principal selon elle est une loi de 1995 qui a interdit les dons d'entreprises dans les campagnes électorales. En effet, en 1993, les candidats de droite avaient reçu en moyenne 40 000 euros en dons d'entreprises là où la moitié des candidats avait reçu zéro euro. Interdire cette source de revenu a donc privé la droite d'un atout considérable, d'autant que l'aspect imprévu de la dissolution de l'Assemblée Nationale par J. Chirac ne leur avait pas encore permis de réorganiser leurs sources de financement. Cette explication très rarement mise en avant est pourtant très convaincante et constitue une preuve du rôle déterminant des recettes dont disposent les candidats pour financer leur campagne électorale. De fait, l'objectif d'une entreprise est de faire des bénéfices : elle ne donne pas, elle investit. Si les entreprises investissaient dans les campagnes électorales, c'était qu'elles en retiraient des bénéfices : ces dons sont donc en soi des preuves de l'efficacité de l'argent dans les campagnes électorales.

Qui paie gagne. Voilà un aspect qui a pris une ampleur inédite avec la campagne d'E. Macron en 2017. En effet, l'investigation de Franceinfo[32] a permis d'éclairer le financement opaque de la campagne d'En Marche. Le candidat a mystérieusement levé 16 millions d'euros entre la création d'En Marche en mars 2016 et décembre 2017. Jamais un candidat n'avait rassemblé autant d'argent auprès des particuliers en partant de rien.

E. Macron s'est targué à l'époque d'une mobilisation collective mais FranceInfo explique aujourd'hui que c'est parce qu'il a su contourner la législation démocratique

---

32 *Radio France,* le 3 mai 2019, « La moitié de la campagne d'E. Macron financée par des grands donateurs », Julie Guesdon et Sylvain Tronchet

prévue pour interdire les grands donateurs. La réglementation autorise un particulier à donner 7 500 euros par an à un parti politique. Ce même particulier peut également donner jusqu'à 4 600 euros par élection au candidat de son choix. Franceinfo a pu retrouver des donateurs qui ont donné 7 500 euros à En Marche dès 2016, puis renouvelé leur don en 2017, et fait un troisième chèque de 4 600 euros (parfois arrondi à 4 500) à l'association de campagne du candidat. Certains ont également multiplié cette somme par deux au nom de leur conjoint(e), le chèque ou le virement partant du même compte commun.

Voilà comment E. Macron a « optimisé » la législation en contournant les règles. Ainsi, contrairement à l'esprit des lois, les dons sont fortement concentrés entre les mains de contributeurs très riches. Si E. Macron brandit un chiffre avoisinant les 100 000 dons, 800 personnes seulement ont financé la moitié de sa campagne, soit moins de 1 % des donateurs. Ces dons s'élèvent à 6800 euros en moyenne. Nous constatons également que la moitié des dons provient des quartiers huppés ouest-parisiens. En somme, le candidat Macron était totalement dépendant des plus généreux contributeurs : banquiers d'affaires, gestionnaires de fonds, avocats, entrepreneurs du web…

Les déplacements à l'étranger du candidat pour lever des fonds peuvent également interroger. Au total, Emmanuel Macron a reçu 2,4 millions d'euros de dons en provenance de l'étranger, dont 1,8 million émanant de donateurs aisés (dons supérieurs à 4 000 euros). Selon le journal *Fakir*, la City de Londres, temple de la finance mondialisée, a plus contribué que les 10 plus grandes métropoles de province hors Paris.

Par ailleurs Franceinfo indique que l'équipe d'En Marche ! a bénéficié de ristournes étonnantes pour l'organisation de ses meetings. Ainsi, la Bellevilloise a accueilli une réunion publique En Marche pour 1 200 euros, alors qu'elle a facturé le même service à B. Hamon. pour 4 838 euros. Voilà encore une manière de contourner la législation sur les financements des campagnes.

En 2017, le seul à avoir adopté une stratégie d'appel aux dons comme Emmanuel Macron est Jean-Luc Mélenchon mais il n'a récolté que 2,8 millions d'euros, soit 6 fois moins. Cela s'explique non par l'importance numérique moindre des donateurs de J.-L. Mélenchon mais par leur composition sociale plus modeste : seul un don atteint 7 020 euros et moins d'une cinquantaine de contributions sont supérieures à 1 000 euros. Au vu du programme, on peut comprendre que le potentiel financier des donateurs ne soit pas le même… Si chaque voix compte autant dans l'urne, ce n'est pas le cas pour le financement de la campagne.

Ce qu'E. Macron a vanté comme une mobilisation populaire est en fait un investissement de la fraction de la population française (et étrangère) la plus riche. Voilà de quoi s'interroger sur les contreparties.

Les investisseurs, évidemment, attendaient d'en récolter les fruits par la politique d'E. Macron une fois arrivé au pouvoir. Ils n'ont pas dû être déçus car il s'est effectivement montré par la suite très favorable à leur égard. C'est paradoxalement la cupidité des milieux d'affaires qui les a incités à être si généreux avec E. Macron.

800 personnes au capital financier permettant de donner 10 000 euros ont ainsi autant de poids que 400 000 personnes cotisant chacun pour une adhésion au parti à 20 euros.

Selon la catégorie sociale de ses adhérents, un parti n'aura donc pas la même force de frappe pour mener sa campagne. Dès lors, ce n'est pas la volonté de la majorité qui dispose de la souveraineté mais la volonté des plus riches : voilà qui est fort peu démocratique.

Le système démocratique de la Ve République s'était doté de garde-fous : subventions publiques pour les partis représentatifs d'un certain nombre d'électeurs, système de cotisations qui donne un poids financier en fonction du nombre d'adhérents, limitations des dons à 4500 euros pour les campagnes électorales.

Mais E. Macron, en se présentant comme un candidat « anti-système », a déjoué ces garde-fous : s'il a contourné le système démocratique des partis, il s'est vautré dans le système financier du grand capital dont il s'est rendu dépendant, entraînant la France entière dans sa soumission.

Contrairement à ce que son marketing politique a voulu nous faire croire, l'absence de parti derrière lui n'est pas un progrès démocratique mais un nouveau coup de boutoir des magnats de l'économie contre la souveraineté populaire. L'apparition des partis à la fin du XIXe siècle a permis l'introduction des masses dans la vie politique. Faire disparaître les partis, c'est les en éjecter. Ne pas avoir de parti derrière soi n'est pas signe de liberté, c'est signe de dépendance à l'égard de gros investisseurs privés. C'est signe également que l'on peut se passer du peuple. Aux États-Unis, le système du financement des campagnes présidentielles par les gros investisseurs a donné à des entreprises un pouvoir de lobbying démesuré : ainsi, la NRA, association agrégeant des groupes d'intérêt favorables aux armes, empêche toute législation pour limiter le port d'armes. C'est ce système qu'E. Macron est en train d'importer.

Une campagne électorale peut se passer désormais de militants convaincus et les classes dominantes peuvent « investir » directement un représentant de leurs intérêts à la tête de l'État. Par leur investissement dans la campagne, ils en font leur obligé.

Le chroniqueur du Moyen-Âge Adémar de Chabannes rapporte cet échange entre le roi Hugues Capet et Aldebert Ier : lorsque ce dernier refuse de lever le siège de Tours, le roi le rappelle à l'ordre en lui demandant « *Qui t'a fait comte ?* », Aldebert répond alors avec insolence « *Qui t'a fait roi ?* ». C'est exactement ce qui est arrivé à Emmanuel Macron lorsque l'AFEP, association de grands patrons du CAC 40, vint lui demander des comptes à l'Élysée l'été qui a suivi son élection. « Qui vous a fait président ? » auraient pu lancer les émissaires de ce puissant lobby. Il fallait supprimer l'ISF au plus vite et donc avancer le calendrier, par peur que cette réforme qui leur avait été promise pendant la campagne ne voie jamais le jour. Sur le champ, E. Macron s'exécuta et supprima l'ISF un an plus tôt que prévu dans son calendrier initial. Cet épisode est la quintessence du mandat de Macron, à savoir une soumission totale aux intérêts des puissants aux dépens de l'intérêt général.

Mais quand bien même le peuple parviendrait à exercer sa pleine liberté et voter en fonction de ses intérêts de classe, quand bien même un candidat au programme social et écologique franchirait toutes les entraves que les classes dominantes ont placé en travers de son chemin, ce dernier aurait les pieds et poings liés…

Chapitre 9
En faisant pression sur les élus une fois au pouvoir

C'est symptomatique de la présence des lobbys dans les cercles du pouvoir. Il faut à un moment ou à un autre poser ce problème sur la table parce que c'est un problème de démocratie : qui a le pouvoir, qui gouverne ?

Nicolas Hulot, *France Inter*, 28 août 2018

Lors de sa démission fracassante du ministère de la transition écologique et solidaire en 2018, N. Hulot mettait sur la table le problème des lobbys. La goutte d'eau qui a fait déborder le vase était la présence de Thierry Coste, lobbyiste pro chasse, lors d'une réunion décisive où E. Macron a décidé de diviser par deux le prix du permis de chasse à l'encontre de la volonté du ministre. Rappelons que le mot « lobby » peut se traduire par « couloir » : là où les réseaux d'influence n'ont pas le droit de participer aux prises de décisions, ils cherchent à peser sur les décisions en amont, en catimini, dans les couloirs. L'influence de ces représentants d'intérêts particuliers, non élus, pose en soi problème ; mais avec E. Macron ils siègent carrément dans les lieux de décision. Dans une vidéo off captée par le média indépendant *Vakita*, on peut voir le ministre de l'agriculture s'auto-congratuler en riant « *T'as vu ? j'ai dit du bien des pesticides !* » et son interlocuteur lui répondre « *C'est bien !* ». Tout conduit à penser que le gouvernement sert des intérêts particuliers et rend des comptes aux lobbys plus qu'il ne sert le bien commun et rend des comptes aux citoyens.

À Bruxelles, les lobbyistes sont 25 000 à graviter dans le quartier de la commission européenne. Moins de la moitié sont déclarés dans le registre prévu à cet effet. On y trouve 9 représentants d'entreprises pour 1 représentant de l'environnement : les arbres et les poissons paient moins que Bernard Arnault. Comment s'étonner alors qu'on n'y vote pas l'interdiction du chalutage en eaux profondes ou l'interdiction du glyphosate ?

Le fonctionnement de ces lobbys joue sur plusieurs mécanismes. D'abord l'argumentation par la mise en doute des vérités scientifiques quand les entreprises ne produisent par leurs propres études biaisées. Ainsi, les lobbys des énergies fossiles et leurs corollaires (l'aéronautique, l'automobile, etc...) ont joué tant qu'ils ont pu sur le climato-scepticisme. Aujourd'hui, ils jouent sur la croissance verte, un substitut au climato-scepticisme : continuons à consommer en espérant des solutions technologiques providentielles. Les lobbys de l'agrobusiness nient quant à eux les méfaits des pesticides et des OGM jusqu'à « dire du bien » des pesticides. Mais l'art de la persuasion des lobbys ne passe pas que par de voies discursives : les cadeaux aux élus sont aussi de mise. Ainsi, Manon Aubry avait mis en lumière sur les réseaux sociaux les cadeaux que recevaient les députés européens. La loi les autorise à accepter des cadeaux inférieurs à 150 euros mais sans limite en nombre. Ils sont censés répertorier ces cadeaux dans un registre mais ils ne le font pas. Tout ceci est toléré. La députée Caroline Rose dit avoir retourné à l'envoyeur deux cadeaux dès le début de son mandat européen et ne plus en avoir reçu. Peu nombreux sont les députés européens à pouvoir se vanter d'une telle intégrité. Quelle est la frontière avec la corruption ? Enfin, les lobbys peuvent parfois s'avérer menaçants. Ainsi, Caroline Rose dénonce des menaces des lobbys de l'agriculture productivistes « *de cramer la maison d'élus qui n'iraient pas dans leur sens* »[33]… Impossible d'évaluer la fréquence de ce genre de menaces en l'absence d'enquête sur le sujet.

Au-delà des lobbyistes qui défendent les intérêts des actionnaires des grandes entreprises par tous les moyens, les grands actionnaires propriétaires de médias peuvent faire du chantage à l'image. E. Macron en avait conscience dès avant les élections de 2017 et a su s'allier au moins 6 patrons de médias par des services rendus. Faites un cadeau à un riche et il vous fera à son tour un beau cadeau. Faites un cadeau à

33 Mission Poséidon, podcast de *France Inter*, « Les lobbys »

un pauvre et il l'utilisera pour se nourrir sans vous rendre la pareille. Le calcul est vite fait : il vaut mieux faire des cadeaux aux puissants plutôt qu'à des indigents ingrats. Ainsi, il faut savoir que A. Lagardère était l'un des principaux clients d'E. Macron lorsqu'il travaillait pour la banque Rothschild. Quand Macron est nommé par F. Hollande secrétaire général de l'Élysée, il semble avoir gardé les mêmes objectifs : servir les intérêts des milliardaires. Ainsi, il négocie pour Lagardère la cession des parts d'EADS au nom de l'État, ce qui permet au milliardaire de réaliser 1.8 milliard de plus-values. Celui-ci le gratifiera de sa reconnaissance dans les colonnes de *Paris-Match*, du *JDD*, d'*Europe 1* et autres médias qu'il détient. C'est ce genre de cadeaux aux frais du contribuable ou des travailleurs qui explique le soutien quasi unanime de la presse lors de la campagne de 2017. À l'inverse, F. Hollande a fait paniquer les milieux d'affaires à la veille de son élection en 2012 en déclarant lors du discours du Bourget « *Mon ennemi, c'est la finance* ». D'abord, il est revenu sur son propos pour le minimiser. Ensuite, il a tout de même été victime du Hollande-bashing dès le début de son mandat. La leçon a été vite comprise et il n'a porté aucun coup à son ennemi, il s'est même permis quelques caresses au patronat avec la loi Travail et le CICE (Crédit Impôt Compétitivité Entreprises). Mieux vaut s'assurer du soutien de ceux qui influent sur l'opinion publique que d'essayer d'agir sur l'opinion publique par de réelles mesures en sa faveur. En effet, les représentations véhiculées dans les médias ont plus d'impact sur l'opinion que le réel lui-même.

Les élus peuvent aussi être sensibles avec sincérité à un argument de poids des grands actionnaires : le chantage à l'emploi. Les structures économiques de concentration capitalistique sont telles que des milliers d'emplois sont entre les mains de quelques personnes, ce qui donne un poids démesuré à ces dernières. Le magazine *Challenges* révèle ainsi qu'en 2009, la fortune cumulée du TOP 500 français n'était que de 194 milliards d'euros, représentant 10 % du PIB d'alors ; aujourd'hui ils représentent 45 % de la production de richesse annuelle sur le sol français soit 1 170 milliards. Au fur et à mesure que la législation favorise le grand capital dans l'économie, ce grand capital renforce son poids dans la vie politique, dans un cercle vicieux pour la démocratie.

Enfin, il ne faut pas négliger le rôle des relations interpersonnelles et la solidarité de classe entre ces membres des classes dominantes. E. Macron, nous l'avons vu, s'est fait quelques amis lors de son passage à la banque Rothschild. L'apothéose de ces rapports incestueux avec les pouvoirs économiques est le pantouflage, c'est-à-dire les aller-retours entre le monde des affaires publiques et celui des entreprises privées. Ce gouvernement est passé professionnel dans cet art. Cela permet d'utiliser les postes de pouvoir au sein de l'État pour servir les intérêts desdites entreprises.

Macron lui-même est un modèle en la matière : inspecteur des finances à la sortie de l'ENA, rapporteur de la « Commission Attali pour la libération de la croissance française » puis banquier d'affaires chez Rothschild, ministre des finances et enfin président de la République. L'avantage est qu'il garde son carnet d'adresses en passant du public au privé et réciproquement. Ainsi, Serge Weinberg, aujourd'hui PDG de Sanofi, le fait entrer chez Rothschild alors qu'il le croise à la commission Attali. Macron lui renvoie l'ascenseur une fois président : symboliquement, il lui remet la légion d'honneur. Mais ce menu plaisir n'est pas le seul coup de pouce du président. Le journal *Fakir* souligne l'indulgence du gouvernement face au non-paiement de l'indemnisation des victimes dans le cadre du scandale de la dépakine, médicament responsable de troubles neuro-développementaux chez les enfants dont les mères ont ingéré ce médicament lorsqu'elles étaient enceintes. Malgré des cas avérés d'autisme et de malformations, l'entreprise n'avait pas arrêté la commercialisation du médicament. Aujourd'hui, la justice a condamné Sanofi à verser 3 millions d'euros d'indemnités à l'une des victimes mais « *faire payer l'entreprise n'est pas l'urgence* » affirmait Agnès Buzyn, alors ministre de la Santé. E. Macron allait même octroyer 200 millions d'euros d'aides supplémentaire à Sanofi, au cas où le CICE et le crédit impôt-recherche ne suffisaient pas, alors que l'entreprise annonçait la suppression de 1000 postes en France et versait 4 milliards à ses actionnaires. De l'argent bien investi par le contribuable puisque, lors de la crise du Covid, l'entreprise prévoyait de vendre son vaccin aux États-Unis en priorité car ils étaient plus offrants. Vaccin que, de toute façon, ils n'ont pas réussi à créer, peut-être en raison des multiples suppressions de postes. L'affaire est encore plus touffue que ce petit résumé. Il s'agit ici simplement de montrer la mécanique qui unit Macron aux puissants et qui dessert l'intérêt général.

Cette mécanique est partagée par beaucoup des membres des LREM au pouvoir. Ainsi, Edouard Philippe a d'abord travaillé comme lobbyiste chez Areva avant d'aller soutenir le nucléaire en tant que premier ministre. On peut citer aussi Alexis Kohler qui supervisait les dossiers de MSC lorsqu'il était adjoint de Macron à Bercy. Comme si le fait que le directeur de l'entreprise soit son cousin ne suffisait pas à jeter la suspicion sur son action, il était recruté comme directeur financier de MSC l'année même où il a quitté ses fonctions à Bercy. Un an plus tard, il était nommé par E. Macron comme secrétaire général de l'Élysée. Voilà une personnalité qui a su ériger en art le passage entre services de l'État et services au privé. On pourrait multiplier ainsi les exemples. Je finirai pour ma part par l'exemple de Sibeth N'Diaye qui est entrée chez Adecco, leader mondial de l'intérim, après avoir été la porte-parole d'un gouvernement qui s'est fait pour spécialité de développer le travail intérimaire. Chacun pourra juger si elle a été recrutée pour son talent.

Pensez maintenant, Macron parvenu au pouvoir, à la réforme des retraites. Celle qui a mis des centaines de milliers de personnes dans la rue dès le premier mandat, celle qui attaquait l'ensemble des travailleurs et avait 93 % d'impopularité auprès d'eux lorsqu'elle a finalement été mise en place dans une nouvelle version au début du second mandat. Peu importe que l'immense majorité du peuple soit mécontent car il s'agissait de satisfaire quelques puissants. Ainsi, alors qu'1 million de personnes environ défilaient dans les rues le 5 décembre 2019, le fonds de pension américain Blackrock se frottait les mains de voir apparaître un nouveau marché pour son système de retraite par capitalisation. Les liens entre Blackrock et le gouvernement sont avérés puisque Jean-François Cirelli, le patron de la filiale Blackrock France, était nommé au comité CAP22 d'Edouard Philippe pour « *guider l'action publique* ». Blackrock lui remettait notamment une note intitulée « un bon plan retraite ». Jean-François Cirelli recevait même la légion d'honneur en 2020 pour, on l'imagine, ses bons et loyaux services. Rappelons-nous également l'affaire Delevoye : le haut-commissaire à la réforme des retraites a été épinglé par la Justice pour avoir « oublié » de déclarer des postes qu'il occupait et des pensions qu'il touchait, dont certaines le plaçaient en situation de conflits d'intérêts directs. En effet, ce dernier était payé par des assurances qui pouvaient lorgner sur les retraites. Dès lors, il est clair que cette réforme est au service des assureurs, des banques et des fonds de pension, à l'encontre de l'intérêt des citoyens.

Cette collusion entre milieux d'affaires et milieux politiques, si elle a toujours existé dans les sociétés capitalistes, prend une ampleur inédite avec E. Macron. Les frontières entre les deux mondes se font plus poreuses : ils ont fait les mêmes écoles, les mêmes lycées, les mêmes grandes écoles. Nous l'avons vu, ils circulent d'un monde à l'autre par du pantouflage. Aussi, et ce fait est inédit, les pouvoirs publics ont de plus en plus recours à des cabinets de conseil privés.

Une véritable technocratie se met en place par le recours à des cabinets de conseil privés de type Mc Kinsey, censés dispenser des avis d'expert sur les politiques publiques. En confiant les enquêtes gouvernementales, les diagnostics et les préconisations, à ces cabinets privés, le gouvernement actuel se dépossède lui-même et son administration de la capacité de décider. Or, ces cabinets, porteurs de l'intérêt du milieu des affaires, ne proposent jamais de taxe sur les dividendes… *In fine*, par cette externalisation des tâches en toute opacité, les décisions échappent aux citoyens et même à leurs représentants. Ainsi, selon *Le Point*, le cabinet McKinsey a touché 2 millions d'euros par mois de l'État pour la gestion de la crise sanitaire alors que l'État dispose de ses propres structures. Selon *Mediapart*, le groupe *Accenture* a quant à lui touché 1.2 million d'euros par mois. Il s'agit en tout cas de dilapidation de l'argent public au profit de quelques entreprises privées très puissantes car on peut douter parfois de l'utilité des travaux de ces cabinets. Je vous invite à aller voir l'audition hilarante du responsable de McKinsey au sujet de son travail sur l'éducation où il peine à justifier les 496 000 euros qu'il a reçus du ministère. Ce même cabinet McKinsey qui aurait participé gratuitement à la campagne électorale de Macron d'après les révélations des Macron Leaks. Cette immixtion des cabinets privés dans les Macron Leaks soulève donc plusieurs problèmes. D'une part, les élus et fonctionnaires sont dépossédés de leur capacité de décision au profit d'acteurs privés acquis à l'idéologie néolibérale et aux intérêts des privilégiés. D'autre part, les tarifs exorbitants qui sont pratiqués et l'opacité des missions rendent difficile de distinguer la frontière entre mission d'utilité publique et détournement de fonds. Or, au moins 2 milliards d'euros ont été octroyés à des cabinets de conseil privés de 2015 à 2021. Devant le scandale, des sénateurs ont porté une proposition de loi sur l'encadrement des activités des cabinets de conseil. Mais, selon une enquête de *Mediapart*[34], l'ancien président de l'Assemblée nationale F. Ferrand a été mandaté par la multinationale Accenture pour affaiblir cette loi. Ainsi, la loi est détricotée

---

34 *Mediapart, le* 6 février 2024, « Un cabinet de conseil a utilisé Richard Ferrand comme cheval de Troie au Parlement », Antton Rouget

à l'Assemblée par des élus Renaissance et les sénateurs qui portent la proposition de loi, pourtant de bords opposés, s'accordent pour dénoncer une « *forme de collusion étrange, pas forcément saine, entre la majorité et les cabinets de conseil* ».

En outre, notre Etat comme beaucoup d'autres est soumis aux marchés par sa dette. Endettée auprès de créanciers britanniques, l'Egypte tombait sous la coupe de l'Angleterre en 1914. Aujourd'hui, la France est sous la coupe anonyme des acteurs de la finance mondialisée. Nos gouvernements guettent le jugement des trois agences de notation qui déterminent notre capacité à rembourser nos emprunts et par conséquent le taux d'intérêt qui nous sera attribué. Ils attendent leur AAA tels de vulgaires andouilles en quête de reconnaissance. C'est au nom de ces agences de notation qu'on nous inflige des politiques d'austérité. Or, qui les a élus ? Qui a élu les dirigeants de Moody's, Fitch et Standard et Poor's ? Le plus cocasse est que ce sont des gouvernements très marqués à droite qui nous ont conduits à la dégradation de notre note, incapables de lever les impôts sur les plus riches et les profiteurs de crise. D'abord N. Sarkozy en 2010, qui a fait porter la charge de la crise financière de 2008 sur l'Etat pour sauver les acteurs privés qui nous y ont conduit. Ensuite E. Macron, qui génère régulièrement des crises sociales depuis le début de son mandat et fait paniquer les acteurs financiers.

Au lieu de cette dérive technocratique, on pourrait imaginer une évolution inverse vers une démocratie plus directe en ayant recours à des conventions citoyennes éclairées par des scientifiques indépendants. La Convention Citoyenne pour le Climat a montré que ce type de dispositif pouvait être efficace puisque, à rebours des représentations selon lesquelles le personnel politique est empêché de prendre des mesures de protection de l'environnement par la peur de la réaction émotive des foules, cette dernière a opté pour des mesures beaucoup plus ambitieuses que celles portées par nos élus ces dernières décennies. Cela montre que si les élus sont immobiles en la matière, ce n'est pas par peur des foules, c'est par peur des milieux d'affaires qui veulent éviter des mesures environnementales contraignantes. Seuls des modes de gouvernement plus démocratiques peuvent aboutir à une prise en compte de l'environnement et du changement climatique dans les politiques publiques.

Or, la dynamique est totalement inverse puisque l'Union Européenne, où le pouvoir populaire est dissout dans le Parlement et où il est carrément nié dans la Commission, est devenue un acteur décisionnel majeur en termes de politiques publiques. S'il ne faut pas caricaturer ses effets, puisqu'elle permet parfois d'établir des normes environnementales que le parlement français n'a pas le courage de voter, l'Union Européenne s'avère surtout un cheval de Troie de l'austérité, du libre marché et de la concurrence. Le mouvement Syriza d'Alexis Tsipras en Grèce en a fait les frais puisqu'il a été littéralement empêché d'accomplir le programme social pour lequel il a été élu. L'Union Européenne s'est faite défenseur des marchés financiers et Alexis Tsipras a dû céder devant la pression des créanciers et des agences privées de notation relayée par Angela Merkel. Les marchés financiers ont totalement étouffé le mouvement porté par le suffrage universel.

En conclusion, tous ces phénomènes, qui connaissent aujourd'hui une ampleur inédite, donnent un poids démesuré aux élites économiques. Cette collusion entre milieux politiques et milieux d'affaires a des traductions très concrètes. Ainsi, selon une étude de l'Institut des Politiques Publiques, les 75 familles les plus riches paient proportionnellement moins d'impôts que la moyenne des Français. L'impôt est pourtant progressif jusqu'aux 37 800 foyers les plus fortunés qui ont un taux d'imposition moyen à 46 % par an. Mais pour les ultra-riches, les 0,0002 % les plus riches, ceux qui ont tellement d'argent qu'ils le convertissent en pouvoir, le taux d'imposition n'est que de 26 %. Or, lorsque l'on demande démocratiquement l'avis des citoyens, comme cela a été fait avec la Convention citoyenne sur le climat qui a rendu ses conclusions en juin 2020, ceux-ci proposent des correctifs à cet état de fait comme une taxe sur les dividendes. Mais toute la politique du Président va dans le sens inverse : cette taxe sur les dividendes a été la première mesure de la Convention Citoyenne qu'il a rejeté pour rassurer les milieux financiers.

Financer les campagnes. Détenir entre ses mains des milliers d'emplois. Disposer de relais, que ce soit auprès du pouvoir politique par les lobbyistes et les cabinets de conseil ou auprès de l'opinion publique par les médias. Tout ceci crée des relations de dépendance des élus à l'égard des puissances économiques. Ce n'est plus la communauté de citoyens qui gouverne mais quelques lobbys entrepreneuriaux internationaux privés et des bureaucrates basés à Bruxelles, eux-mêmes largement sous l'emprise de ces lobbys. Il apparaît de plus en plus que l'essentiel du pouvoir échappe aux élus, qu'ils n'ont pas la faculté de transformer la société mais qu'ils visent simplement à se perpétuer au pouvoir par la satisfaction des intérêts des puissants.

Or, pour garantir la préservation de leurs intérêts, la priorité pour ces grands détenteurs de capitaux est de garder le contrôle exclusif de l'économie en dépit du suffrage universel…

Chapitre 10
En évinçant l'économie et le travail du champ du suffrage universel

Je veux croire que les êtres humains ont un instinct de liberté, qu'ils souhaitent véritablement avoir le contrôle de leurs affaires ; qu'ils ne veulent être ni bousculés ni opprimés, ni recevoir des ordres et ainsi de suite ; et qu'ils n'aspirent à rien tant que de s'engager dans des activités qui ont du sens comme dans un travail constructif qu'ils sont en mesure de contrôler ou à tout le moins de contrôler avec d'autres. Je ne connais aucune manière de prouver cela. Il s'agit essentiellement d'un espoir au nom duquel on peut penser que si les structures sociales se transforment suffisamment, ces aspects de la nature humaine auraient la possibilité de se manifester.

Noam Chomsky[35]

---

35 Cité par Normand Baillargeon in *L'ordre moins le pouvoir, Histoire et actualité de l'anarchisme,* Agone, 2008

Nous avons vu jusqu'alors la méthode par laquelle les membres des classes dominantes s'accaparent le pouvoir politique en biaisant le suffrage universel en amont puis en aval. Mais il nous reste maintenant à comprendre leur objectif et pourquoi ils emploient autant d'argent à désigner qui sera porté au pouvoir par les urnes. Pourquoi est-ce si important pour eux ? Que craignent-ils et que s'évertuent-ils à mettre en place ?

En fait, les représentants qu'ils ont désignés mettent tout en œuvre pour que le pouvoir politique n'entrave pas leur pouvoir dans la vie économique.

Nous avons évoqué plus haut le cas de ce DRH dont la chemise avait été arrachée par des salariés après qu'il leur avait annoncé leur licenciement. Là où le gouvernement n'a pas agi contre ces licenciements, la justice a condamné quatre salariés à plusieurs mois de prison avec sursis pour violences. Si l'Etat est passif face aux délocalisations, il est en revanche très impliqué lorsqu'il s'agit de mater les mouvements sociaux. On voit là tout le paradoxe des démocraties illibérales dans lesquelles nous vivons : cet Etat fort contre le peuple qui s'auto-organise ou qui se révolte se double d'un Etat faible lorsqu'il s'agit d'intervenir dans la vie économique.

Tous les efforts des classes dominantes depuis la création du suffrage universel ont été de placer l'économie hors champ. De séparer hermétiquement la sphère de l'économie et la sphère de la politique. *L'homo faber* de *l'homo politicus*. Elles ont gagné en 1848, lorsqu'elles ont tué à la sortie de l'œuf les ateliers nationaux. Elles ont gagné en 1871, lorsqu'elles ont tué à la sortie de l'œuf les coopératives qui avaient été permises par le décret du 16 avril dans les ateliers abandonnés. Elles ont gagné en 1968, lorsqu'elles ont tué dans l'œuf les velléités d'autogestion qui proliféraient chez les travailleurs. Paradoxalement, le suffrage universel est concomitant de l'essor du capitalisme : au moment où l'on créait des citoyens en accordant à tous les hommes des droits politiques, on les dépossédait de l'organisation de leur travail et veillait à bien occire l'économie du champ politique.

Où tracer la frontière entre les affaires qui relèvent d'une décision politique, tranchées par les élus dans notre démocratie représentative, et les affaires qui sont laissées au jugement privé ? Selon la doctrine libérale, l'Etat doit laisser faire et ne doit pas intervenir pour réguler l'économie. L'idée centrale est la liberté d'entreprise. Pour être plus précis, il s'agit de la liberté de l'entrepreneur. Pour être plus précis encore à l'ère du néolibéralisme, il s'agit de la liberté de l'actionnaire. Cette liberté consiste à tenir le champ de l'économie à l'écart de toute délibération et de toute prise de décision collective. C'est la liberté de quelques uns d'exploiter tous les autres. La liberté du loup dans la bergerie.

Or, la liberté des travailleurs commence là où s'arrête celle des entrepreneurs.

Dans cette lutte pour le contrôle démocratique de l'économie, on peut dégager plusieurs phases.

Le XIXe siècle est celui de l'exploitation illimitée des travailleurs par les propriétaires des moyens de production.

Mais la fin du siècle voit apparaître les premières lois intercédant en la faveur des ouvrièr.e.s pour les protéger de l'exploitation capitaliste : en 1892 le temps de travail des femmes limité à 11 heures par jour et interdit la nuit, en 1898 la responsabilité du patron en cas d'accident du travail, en 1900 la journée de travail limitée à 10 heures pour tous. Ces victoires du camp des travailleurs se poursuivent au XXe siècle jusque dans les années 80 : en 1907 l'obligation d'un jour de repos hebdomadaire, en 1910 le principe des retraites ouvrières, en 1936 les congés payés, la semaine de 40h et les conventions collectives puis les conquêtes sociales s'enchaînent dans l'après-guerre jusqu'au début des années 80. Cette lutte des classes se fait par le biais des urnes puisque toutes ces lois sont votées par le Parlement élu, généralement lorsqu'il est majoritairement de gauche. Elle se fait aussi par la pression directe des ouvriers par le biais de syndicats, de manifestations et de grèves. Toutefois, même dans ces formes de lutte, le vote est important puisque c'est par la loi qu'elles étaient interdites et c'est par la loi qu'elles ont été autorisées, en 1864 sous Napoléon III pour le droit de grève et en 1884 sous la IIIe République pour la liberté syndicale. En 1936, les patrons s'engagent par l'accord Matignon à ne pas sanctionner les grévistes et les syndicalistes et à reconnaître les délégués ouvriers. Or, chaque conquête en termes de liberté d'expression des revendications a permis d'accélérer les conquêtes sociales. Aussi, surtout après la Seconde Guerre mondiale, l'Etat prend le contrôle de grands secteurs de l'économie par des nationalisations. Chaque nationalisation représente pour les capitalistes un marché qui disparaît, des structures de domination qui leur échappent.

En suivant la doctrine libérale selon laquelle l'Etat -et donc la souveraineté du peuple- ne doit pas intervenir dans l'économie, quelles seraient aujourd'hui nos conditions de travail ?

Toutefois, depuis les années 80 dans le monde et depuis les années 90 en France, le tournant néolibéral de l'économie a entraîné une dérégulation et une déréglementation de l'économie favorable aux actionnaires et défavorable aux travailleurs. Le monde du travail échappe progressivement aux décisions prises au suffrage universel. Les privatisations sont l'un des symptômes de cette dépossession du monde de la production, accaparé par quelques capitalistes. Chaque privatisation est une production qui échappe à la souveraineté nationale.

Quant à E. Macron, alors même qu'il n'était que ministre, il s'appliquait déjà à détricoter le code du travail avec la loi dite El Khomry en 2016. C'était son urgence : libérer l'actionnaire des limites établies par les représentants élus au suffrage universel et laisser le choix au patronat d'exploiter les travailleurs comme bon lui semble. Il soutenait plus spécifiquement la multinationale Uber dans son entreprise illégale de dérégulation du marché, nouant une *« relation opaque et privilégiée »*[36] avec les lobbyistes de la plateforme dans le dos des Français et même probablement des autres ministres concernés. Cette action s'inscrit pleinement dans ce que j'évoquais dans les chapitres précédents puisque le lobbyiste d'Uber Mark MacGann a ensuite financé la campagne d'E. Macron et celui-ci a invité à dîner le directeur général d'Uber France pour lui proposer de contribuer également. Une fois au pouvoir, le parti d'E. Macron a milité contre une directive européenne prévoyant de reconnaître les travailleurs de chez Uber comme salariés (avec les droits sociaux qui accompagnent ce statut). Toute cette affaire révélée par les Uber Files illustre parfaitement les intrications entre lobbyisme des grandes entreprises, financement des campagnes électorales et décisions en faveur du néolibéralisme. En outre, en 2018, à l'heure où les

36 Selon la commission d'enquête parlementaire qui a suivi les révélations d'un lobbyiste de Uber. Pour un compte-rendu plus détaillé : https://www.francetvinfo.fr/politique/emmanuel-macron/enquete-uber-files-ce-que-dit-le-rapport-de-la-commission-d-enquete-parlementaire_5955548.html

lanceurs d'alerte souffraient déjà d'un manque de protection, la loi sur le secret des affaires venait limiter la divulgation d'informations jugées confidentielles par les entreprises, hermétisant encore plus le monde de l'entreprise et l'extrayant de tout débat public, privant même les citoyens du droit à l'information.

Ce mouvement de retour de balancier est survenu au moment où les capitalistes risquaient de perdre la main sur l'économie en raison de velléités de partager non seulement le fruit du travail mais également ses racines, c'est-à-dire l'organisation de la production. En effet, en 1968 et dans les années 1970, le courant anarchiste faisait des émules en Occident et l'organisation verticale des entreprises à l'écart du système démocratique était menacée. Non contents de progresser dans leurs conditions de travail, les ouvriers réclamaient aussi une meilleure répartition du pouvoir. Il avait donc fallu pour les capitalistes redresser la barre et s'en est suivi un violent mouvement de réaction.

Car quel est le pire cauchemar des détenteurs de capitaux ? La fin de leur domination dans le système productif et le partage du pouvoir décisionnel entre les travailleurs. Le vrai pouvoir populaire passerait par l'autogestion et les coopératives. C'est-à-dire non pas un suffrage universel pour élire des représentants lointains qui n'attentent pas au monde des affaires, mais une participation plus directe à une échelle plus fine, celle des unités de production. Dans un monde pleinement démocratique, le vote ne prend pas uniquement la forme d'un suffrage universel à l'échelle nationale. Dans un monde pleinement démocratique, les individus participent à chaque prise de décision à proportion des retentissements qu'elle aura pour eux. Ces prises de décision à toutes les échelles ne se font pas par des gens forcément plus qualifiés mais des gens plus concernés, dont la compétence repose surtout sur la fréquentation et l'usage du territoire ou de l'unité de production dont il est question que sur une supériorité dans l'absolu.

La prise de pouvoir par les travailleurs au sein de certaines entreprises n'est pas une utopie puisqu'elle a déjà eu lieu : on peut penser aux usines Lip, fer de lance du mouvement ouvrier dans les années 70 en France, au mastodonte Mondragon dans le pays basque espagnol avec ses 12 milliards d'euros de chiffre d'affaires et ses 80 000 salariés en 2019, ou encore plus récemment à l'usine Fralib, entreprise plus modeste de production de thé dans le sud de la France. Ces cas montrent que les travailleurs sont capables de s'auto-organiser et qu'une gestion démocratique de la production peut être efficace.

Cependant, nous assistons à une lutte acharnée des classes dominantes pour éviter ce genre de poche de liberté et d'autonomie. Dans la plupart des entreprises, lorsqu'on propose aux salariés de participer à une prise de décision, la liberté de choix se restreint à choisir entre renoncer à ses acquis sociaux ou à être licencié. Voici à quoi se réduit le vote dans les entreprises : une déclinaison locale du chantage à la délocalisation. C'était par exemple le cas dans l'entreprise Smart en 2022 qui « proposait » une réduction des jours de RTT et un allongement du temps de travail à 39 heures payées 37.

Si les travailleurs veulent reprendre la main sur les usines dont l'entreprise se sépare, les actionnaires vont tout faire pour leur rendre cela impossible. À Gémenos à côté de Marseille, il a fallu 1336 jours de grève aux salariés de Lipton pour récupérer les moyens de production du thé alors que l'entreprise délocalisait son unité de production en Pologne. Il a fallu 5 ans de lutte acharnée entre 2010 et 2015 pour voir la naissance du thé « 1336 » autorisée dans l'usine autogérée désormais baptisée « Fralib ». 1336 jours de grève, c'est beaucoup d'efforts consentis par les travailleurs. D'autant que dans la plupart des cas, les classes dominantes utilisent l'Etat comme arsenal répressif pour empêcher les occupations d'usines au lieu que celui-ci ne soit un acteur volontariste des négociations pour garder une unité de production dans le pays.

Chaque fois qu'un interstice de démocratie directe émerge, les représentants élus s'acharnent à l'écraser. En témoigne l'obstination à détruire la ZAD de Notre-Dame-des-Landes alors même que le projet d'aéroport avait été abandonné. Le seul affront de ces zadistes était de proposer un mode de vie alternatif en dehors du système économique capitaliste, proposant également une autre définition de la démocratie basée sur la délibération et l'autogestion. Un interstice de démocratie directe, de gestion collective des affaires publiques, de la production et de l'environnement. Insupportable pour les classes dominantes, qui mènent une politique de containment par peur que ce mode de vie séduise et se diffuse.

Outre le chantage à l'emploi, le fait de se cramponner sur la possession des moyens de production et l'emploi de la police pour réprimer les modes de vie alternatifs ; les classes dominantes recourent à d'autres moyens plus subtils pour extraire l'économie du champ de la prise de décision citoyenne. Il s'agit tout simplement de ne pas en faire un sujet, d'extraire des transformations économiques majeures du débat public, en d'autres termes de faire ce que les néolibéraux appellent de la « micropolitique ». Grégoire Chamayou montre très bien dans son ouvrage *La société ingouvernable*[37] comment les décideurs s'accommodent du suffrage universel en prenant des décisions sans les annoncer. Ni avant de les mettre en œuvre ni – et c'est là que c'est fort- pendant qu'elles sont mises en œuvre. Il s'agit d'échapper à toute délibération sur la place publique afin de

37 Grégoire Chamayou, *La société ingouvernable, Une généalogie du libéralisme autoritaire*, La Fabrique, 2018

ne pas avoir à rendre compte de leurs actes sur tel ou tel sujet. G. Chamayou prend par exemple le cas des privatisations. Au lieu d'annoncer clairement le projet qui consiste à supprimer un service public afin d'en faire un nouveau marché pour les capitalistes, les politiciens parlent d'« *ouverture à la concurrence* ». Pendant qu'ils s'appliquent à dégrader le service public en question comme l'a fait E. Borne à la SNCF, ils favorisent des alternatives privées. Ils éteignent ainsi l'*homo politicus* pour lui privilégier l'*homo economicus*. L'usager va choisir l'option la moins chère et la plus efficace pour lui à l'instant T au lieu de réfléchir au modèle de société que sa décision implique sur le long terme. Personne n'aura voté pour la privatisation, personne même ne se sera rendu compte qu'elle avait eu lieu. Au moment où le coup de grâce arrive, nombreux seront ceux qui se seront déjà détournés du service public. Ils ne seront alors plus concernés par sa suppression, suppression contre laquelle ils auraient lutté quelques années avant que n'ait lieu le fourbe processus. Le néolibéral Pirie définit ainsi la micropolitique comme « *l'art de générer des circonstances dans lesquelles les gens prendront individuellement et volontairement des décisions dont l'effet cumulatif sera de faire advenir l'état de choses désiré* ». L'état de choses désiré par qui ? Pas par ces individus en question mais par ceux qui auront généré les circonstances. Il s'agit, pour reprendre les mots de Grégoire Chamayou, de « *faire en sorte que des micro-choix individuels travaillent involontairement à faire advenir au détail un ordre social que la plupart des gens n'auraient pas choisi s'il leur avait été présenté en gros* ». Mais « *nul besoin de tailler les poutres à la hache quand, tapies dans le bois, mille petites gueules rongent inexorablement la charpente.* » Même lorsqu'ils reçoivent le retour de bâton de ces micro-choix, comme on le voit pour ceux qui ont souscrit à des contrats avec des compagnies d'électricité privées et ont vu les prix flamber en suivant la variation des cours du marché, les usagers sont incapables de comprendre le processus dont ils ont été à la fois l'acteur et la victime.

Prochaine victime de la micropolitique : le système éducatif et universitaire français. La dégradation du service public dans le primaire et le secondaire incite de plus en plus de familles à placer leurs enfants dans le secteur privé, sans qu'à aucun moment la question des dotations globales horaires accordées aux établissements publics, dont la diminution constante a largement contribué à ce déclin, n'ait été débattue. Il y a fort à parier que ces évolutions aboutissent à ce que l'école publique devienne une école de seconde zone dans laquelle on ghettoïse les pauvres. Quant à l'enseignement supérieur, la plateforme Parcoursup, vantée comme une simple modernisation logistique, est en fait un bouleversement culturel majeur puisqu'elle a introduit la sélection à l'université qui contraint de plus en plus de bacheliers à se reporter vers des écoles privées payantes.

Le génie de la micropolitique est qu'il s'épargne la transformation ou la répression des grands idéaux pour lui préférer la réorientation de petits choix d'apparence anodine. Ainsi, l'abolition des industries d'Etat, des services publics et du régime de sécurité sociale ont lieu chaque jour sans que personne ne vote pour. Ces changements majeurs ne sont pas le fruit de la délibération et du choix collectif. La situation générée est la somme de choix d'individus aveugles au changement de société que leurs comportements additionnés impliquent.

En conclusion, le capital et ses représentants dans la sphère politique parviennent à écarter l'économie du champ du suffrage universel et plus généralement de la prise de décision collective. Il s'agit de rattacher tous les territoires et tous les secteurs de production au système économique dominant, à savoir le capitalisme libéral. Les capitalistes utilisent leur pouvoir politique pour faire perdurer les inégalités économiques, limiter le rôle régulateur et redistributeur de l'Etat et mettre en place un Etat policier qui empêche toute collectivisation des moyens de production et finalement toute démocratisation de l'économie. En retour, une telle inégalité dans la vie économique accoutume les masses à l'obéissance et permet aux capitalistes d'avoir la main sur le choix de nos représentants. En effet, dans un cercle vicieux, la puissance financière générée par cette main basse sur la sphère économique permet la manipulation de l'opinion par le contrôle des médias et le financement des campagnes électorales que nous avons décrit plus haut. Et la boucle est bouclée : la démocratie n'a pas eu lieu.

Chapitre 11 Le peuple contre la démocratie ?

Que ceux qui déplorent la montée des populismes et s'affolent de la fin des démocraties se rassurent : la démocratie n'a jamais vraiment existé. Ils s'inquiètent de la disparition d'un régime qui n'est jamais advenu.

Il faut savoir que le mot même de démocratie était rejeté par ceux qui ont fondé notre système représentatif. La démocratie, pour les penseurs du XVIIIe et du début du XIXe siècle, c'était la prise de décision directe et l'absence d'une autorité distincte dotée d'un pouvoir coercitif. Elle était un épouvantail pour les élites, y compris pour certains meneurs de la Révolution Française et pour les premiers constituants. Ainsi, l'abbé Sieyès affirmait « *dans un pays qui n'est pas une démocratie (et la France ne saurait l'être), le peuple ne peut parler, ne peut agir que par ses représentants* »[38]. Dans le contexte des rapports de force de 1848, les classes dominantes, ne pouvant maintenir plus longtemps un suffrage censitaire, ont concédé le suffrage universel comme un pis-aller pour éviter la démocratie. La

38 *Emmanuel-Joseph Sieyès, Dire de l'abbé Sieyès sur la question du veto royal,* Paris, Baudoin, 1789

redéfinition a posteriori de la démocratie comme délégation de pouvoir, c'est-à-dire comme démocratie indirecte, est en fait un dévoiement de l'idée originelle de démocratie. Progressivement, les élites ont accaparé la notion de démocratie afin de figer la situation politique, comme si le fait de voter pour des représentants nationaux était le paroxysme de la souveraineté populaire. La monopolisation du terme de « démocratie » autour du suffrage universel a servi à la fois à séduire les masses et à les soumettre à un régime que les classes dominantes sont parvenues à noyauter.

À notre époque plus que jamais, les classes dominantes salissent chaque jour le nom de démocratie et s'étonnent que le peuple s'en écœure.

Les petits bourgeois affolés par la montée des « populismes » et la presse qui joue à leur faire peur -tout en rendant cela possible par l'effet d'un discours performatif- se complaisent dans la dénonciation d'une populasse qui vote mal. Ils font penser à ces députés conservateurs qui déploraient le césarisme de Napoléon III en 1850, premier président élu au suffrage universel, au nom de la liberté et de la démocratie, alors qu'eux-mêmes avaient voté une restriction conséquente du suffrage universel et méprisaient les classes populaires.

L'emploi très en vogue du mot de « populisme » révèle d'ailleurs le peu d'amour que ces gens ont pour le peuple. Il faudrait dissoudre le peuple. Il leur fait peur. La démocratie leur fait peur. Étymologiquement, le mot a d'ailleurs le même sens. Il suffit simplement de remplacer le mot « demos » grec par son équivalent latin « populus » pour se permettre de remettre en question la souveraineté du peuple tout en restant bien-pensant en apparence. Employé comme euphémisme, il permet également de banaliser l'extrême-droite dont on ne doit plus prononcer le nom. Enfin, il permet de placer sur le même plan la gauche radicale et de faire l'amalgame entre les héritiers de Philippe Pétain et les héritiers de Léon Blum. Comme si hiérarchiser les humains en fonction de leur origine pouvait être comparé de près ou de loin à désirer l'égalité. Un mot fourre-tout bien pratique donc pour préserver les intérêts de la bourgeoisie tout en dénonçant une fois de plus la dangerosité de confier le droit de vote à la populasse, comme cela a été le cas depuis la création du suffrage universel.

Pourtant, au vu de la réalité que nous avons exposée, comment en vouloir aux citoyens de leur « défiance » vis-à-vis des médias et du personnel politique ? Il s'agit de lucidité. Je mets entre guillemets ce mot de « défiance » car là encore, il s'agit d'un mot bourgeois pour décrédibiliser les attitudes des classes populaires, renvoyant leur esprit critique à la réaction animale d'un chat farouche.

Installez-vous dans une pièce isolée phoniquement où l'on vous demande de crier pour commander votre repas – à défaut de pouvoir directement participer à sa confection. La première fois vous allez crier. Vous n'aurez pas le plat que vous avez commandé. La fois d'après, vous crierez de toutes vos forces. Vous n'aurez pas le plat que vous avez commandé. Les fois suivantes, vous n'essaierez plus de crier. Las, vous ne reviendrez même plus. À côté, d'autres personnes bénéficient d'une pièce ouverte sur la cuisine. Eux auront leur plat en levant un peu la voix. Ils reviendront. Est-ce à dire que les seconds ont plus le sens du devoir ? Est-ce à dire que les premiers n'ont pas de goût ou sont indifférents à ce qu'ils vont manger ? Peut-on en vouloir à ceux du premier groupe s'ils finissent par jouer des coudes et se battre pour la maigre ration qu'ils doivent se partager, peut-on les qualifier d'imbéciles si on leur rabâche à longueur de journée qu'il est utopiste de vouloir abattre la cloison et que des profiteurs se sont infiltrés dans leur groupe ?

C'est cela qui se produit. On peut accuser les gens d'être d'irresponsables abstentionnistes ou de voter bêtement pour des populistes. D'être contre la démocratie. La vérité, c'est qu'ils souhaitent simplement être entendus. Quitte parfois à dire n'importe quoi, à des gens qui en fait ne les écouteront pas plus. Quitte à employer d'autres moyens qui ne sont pas aussi tendres que le vote.

Le peuple est-il contre la démocratie ? La formule fait son petit effet mais ne reflète pas la réalité. D'après le volet français d'une enquête approfondie sur les valeurs des européens[39], 90 % des Français soutiennent le principe d'un gouvernement démocratique et considèrent qu'il est important de vivre dans un pays gouverné démocratiquement. Au contraire, ils se plaignent du fonctionnement du système politique actuel car ils ne le trouvent pas assez démocratique, voire pour certains carrément pas démocratique. Connaissez-vous beaucoup de monde qui se réjouit de la multiplication des recours à l'article 49-3 ?

Le peuple se décompose-t-il en une multitude d'individus atomisés ? Le repli sur soi est souvent dénoncé. Pourtant, la même enquête démontre que l'altruisme et le souci des autres a nettement progressé ces trente dernières années, notamment chez les plus jeunes, particulièrement concernés par les conditions de vie des personnes âgées, malades ou en situation de handicap. Les chiffres de la participation à des associations d'aide aux personnes dans le besoin le démontrent.

Le peuple est-il réactionnaire ? Là encore, cette enquête montre la tendance contraire, à savoir une progression du libéralisme des mœurs : acceptation du divorce, de l'avortement, de l'homosexualité, du suicide, de

---

39 Sandrine Astor, Pierre Brechon, Frédéric Gonthier, *La France des valeurs. Quarante ans d'évolutions*, Presses universitaires de Grenoble, 2019

l'euthanasie… Les Français veulent choisir leur manière de vivre et majoritairement, acceptent que les autres fassent de même. Si cela ne se ressent pas dans les votes, c'est en raison de la distorsion opérée par le vote qui sur-représente les plus âgés et par l'obsession identitaire du personnel politique et médiatique : selon un calcul de Sleeping Giants, un collectif qui lutte contre le financement publicitaire de médias propageant des *« discours de haine »*, les bandeaux de la chaîne CNews ont évoqué l'islam et l'immigration 335 jours sur 365 en 2023.

Le peuple est-il trop bête pour comprendre le génie de Macron et sa « *pensée complexe* » ? La bourgeoisie de droite comme de gauche modérée a tendance à juger comme une inégalité d'intelligence ce qui relève d'une différence expérientielle. Je n'aurai pas la même appréhension de l'Union Européenne et de la mondialisation que je sois un capitaliste qui bénéficie de la libre circulation des capitaux et des marchandises ou que je sois un ouvrier qui voit son usine délocalisée ou encore un agriculteur qui souffre d'une concurrence déloyale. Je n'aurai pas la même appréhension des immigrés s'ils travaillent pour moi au SMIC dans la précarité, si j'en côtoie à l'université ou si je suis en rivalité avec eux sur le marché du travail ou en concurrence pour un logement social. Pire, si je n'en vois pas dans ma campagne et que je les découvre par le prisme de BFM ou Cnews. Je n'aurai pas le même jugement critique face aux discours médiatiques des chaînes d'information en continu si je n'ai pas le moyen de les comparer au réel ou aux travaux scientifiques. Tous les Français n'ont pas les mêmes intérêts à défendre, ne reçoivent pas les mêmes informations, ne vivent pas la même réalité au quotidien. Il ne s'agit pas d'une foule qui vote avec ses émotions contre ceux qui votent avec leur raison. Chacun vote avec ses intérêts, ses valeurs et fait avec les informations qu'il reçoit. Pour un prolétaire, voter M. Le Pen n'est pas plus bête que de voter E. Macron. Mais c'est immoral ! C'est mesquin de ne pas vouloir accueillir des migrants ! Plus mesquin que de s'accaparer l'argent en rognant sur les salaires, en détruisant les services publics et en fraudant le fisc ? Ceux qui votent pour M. Le Pen portent juste leur mépris un peu plus loin afin de pouvoir se sentir inclus dans les privilégiés.

Bien sûr, on ne peut pas se contenter d'acter l'imperfection de la démocratie en tuant la démocratie. Il s'agit simplement ici de remettre en question le discours stigmatisant le peuple et de faire comprendre comment on en arrive là. Non pas par une haine innée de la démocratie, non pas même par bêtise, mais par un système qui nous y conduit.

Les travaux des politologues montrent que les discours d'extrême-droite sèment *de haut en bas.* Pour exemple, en 2015, alors même que la France venait de subir un terrible attentat islamiste, le choix des médias et du gouvernement socialiste d'insister sur le « pas d'amalgame » a eu un effet sur l'opinion publique qui a plus que compensé l'impact de l'événement. Par conséquent, contre toute attente, le chercheur Vincent Tiberj constate un indice de tolérance supérieur à l'année 2014, mettant fin à une montée tendancielle de l'islamophobie depuis les années Sarkozy. À l'échelle européenne, des politologues allemands[40] ont constaté qu'à l'inverse, l'arrivée de partis de droite radicale dans les parlements favorisait la diffusion de leurs opinions en leur donnant une tribune. Il faut donc en finir avec l'idée d'un peuple intrinsèquement soumis à des pulsions racistes et autoritaristes. Les dirigeants politiques devraient en revanche être rappelés à leurs responsabilités et cesser de sous-entendre qu'ils répondent à un horizon d'attente populaire en dérivant vers l'extrême-droite. Ce sont eux qui créent cette attente par leurs discours, eux qui attisent ces pulsions. Ainsi, l'adoption de la rhétorique et des idées d'extrême-droite par E. Macron ces deux dernières années a permis au Rassemblement National de voir son nombre d'électeurs plus que doubler entre le premier tour des législatives de 2022 et celui de 2024, passant de 4 248 537 au chiffre record de 10 628 507.

La « gauche » de gouvernement aussi doit se remettre en question. Il faut cesser de se cacher derrière les enjeux sociétaux pour camoufler son impuissance. Lorsqu'on dresse

---

40 Daniel Bischof et Markus Wagner, *American Journal of Political Science*, 2019

un bilan du mandat de F. Hollande, il ne reste que le mariage pour tous à sauver. Où sont les lois sociales ? Où est la *« lutte contre la finance »* ? Une fois la campagne électorale terminée, il a totalement abandonné les préoccupations populaires. A. Hidalgo a pu le ressentir dans les urnes avec son score de 1.7 % aux présidentielles de 2022. Penser aux autres (aux minorités sexuelles, raciales, etc…), c'est bien et nécessaire. Ce serait même mieux si cela ne se limitait pas à un affichage et des perceptions mais si cela correspondait à une réelle amélioration de leurs conditions. Mais à ne défendre que les minorités, la gauche devient minoritaire. On ne peut pas demander aux citoyens de voter uniquement avec leur altruisme et leur humanisme, il faut aussi défendre leurs intérêts et remettre la lutte des classes au centre des débats. « *On ne peut pas tout attendre de l'Etat* » lançait Lionel Jospin à des salariés licenciés de Michelin. C'est tout de même navrant qu'on ne puisse rien en attendre.

On a exclu le travail de la chose publique. L'essentiel échappe au vote et à la délibération collective. Le citoyen va voter puis doit retourner au travail, cet angle-mort de la démocratie où le capitaliste décide et le travailleur obéit. À s'appliquer à séparer la sphère économique de la sphère politique, la politique paraît un monde à part, déconnecté de la réalité quotidienne. Le suffrage universel qui nous est proposé n'est qu'un hochet pour nous distraire, hochet dont la majorité ne s'empare plus puisqu'il n'amuse plus grand monde. Le peuple a passé l'âge de la délégation du pouvoir.

Des hommes sont morts pour obtenir le droit de vote ? Que des hommes se soient battus pour le droit de vote ne peut tenir lieu d'argument pour motiver les gens à voter. La démocratie n'est pas juste un patrimoine auquel il faudrait rendre hommage. Elle doit être vivante, actuelle. Rendons le vote utile[41]. Rendons-le égalitaire.

Les structures socio-économiques sont trop inégalitaires pour que notre « démocratie » dans les règles actuelles ne soit pas détournée au service d'une minorité. Il n'y aura pas de politique sociale et écologique ni de réelle démocratie sans réforme du système politico-médiatique. Tout candidat qui promet des réformes sociales sans réformes institutionnelles plus démocratiques est au mieux un naïf, sinon un menteur.

Si crise de la démocratie il y a, ce n'est pas que l'idée de démocratie ne séduit plus, c'est que la forme « représentative », fruit d'un compromis historique que les classes dominantes ont dû concéder, n'est plus à la hauteur de cette idée. Le suffrage universel est une condition nécessaire mais pas suffisante pour faire une démocratie. Les Français s'en rendent compte et désertent les urnes. Il ne

41 Utile pour avoir un réel impact sur la société, pas utile pour s'assurer de porter un candidat de la bourgeoisie au pouvoir comme l'entend souvent la presse

faudrait pas l'interpréter comme un rejet de la démocratie mais comme une maturité politique qui appelle à réformer le système pour un suffrage moins biaisé et une participation plus active aux décisions.

[illegible]
[illegible]
[illegible]
[illegible]

Conclusion

Qu'on dise un peu si les travailleurs avaient leur part raisonnable, dans l'extraordinaire accroissement de la richesse et du bien-être, depuis cent ans ? On s'était fichu d'eux en les déclarant libres : oui, libres de crever de faim, dont ils ne se privaient guère. Ça ne mettait pas du pain dans la huche, de voter pour des gaillards qui se gobergeaient ensuite, sans plus songer aux misérables qu'à leurs vieilles bottes. Non, d'une façon ou d'une autre, il fallait en finir, que ce fût gentiment, par des lois, par une entente de bonne amitié, ou que ce fût en sauvages, en brûlant tout et en se mangeant les uns les autres.

Emile Zola, *Germinal*, 1885

Voilà comment on se retrouve en 2017 avec 12 millionnaires parmi les 31 ministres du gouvernement et sans aucun ouvrier à l'Assemblée Nationale alors qu'ils représentent encore 15 % de la population. Voilà pourquoi, alors que les décisions sont censées être prises à la majorité, 5 % de la population détient le tiers des richesses. Voilà pourquoi un Président de la République peut imposer une réforme des retraites refusée par 70 % des Français. Voilà pourquoi la progressivité de l'impôt butte sur les 75 foyers français les plus riches. E. Macron ne fait qu'appliquer des stratégies portées par les classes dominantes depuis l'origine du suffrage universel mais, doté d'un sens politique très limité, il pousse le curseur tellement loin qu'il parvient mal à le camoufler. S'il ne semble pas y avoir d'alternative au néolibéralisme, ce n'est pas parce que c'est le système économique le plus efficace, c'est parce que nos élus sont totalement soumis aux injonctions des dominants.

Contrairement à la doxa inspirée de la rhétorique de guerre froide américaine, le capitalisme n'est pas le corollaire de la démocratie, il en est le frein. Tant que les structures économiques seront aussi inégalitaires, le suffrage universel sera biaisé et la démocratie impossible. En effet, le problème de l'accaparement des richesses par quelques-uns n'est pas qu'un problème moral : l'argent n'est pas qu'un moyen de jouissance, il se traduit en pouvoir. Pouvoir d'influencer l'opinion publique par les médias, pouvoir de faire pression sur les élus de la République, pouvoir de faire du chantage à l'emploi… Dès lors, pour les dirigeants politiques, il ne s'agit plus de satisfaire la volonté du peuple pour être élu au suffrage universel mais il faut se soumettre à ceux qui ont le pouvoir financier et médiatique de persuader les masses. L'accaparement des richesses et l'accaparement du pouvoir politique s'entretiennent mutuellement. Il apparaît donc que la division entre l'égalité de droit et l'égalité matérielle, au fondement de notre

République qui prétend garantir la première sans la seconde, est purement artificielle. Les deux sont inextricablement liées et l'une ne va pas sans l'autre, ce qui explique l'inertie des inégalités malgré les promesses de 1789 et de 1848. Tant qu'il n'y aura pas de réelle démocratie, il n'y aura pas de résorption réelle des inégalités sociales et tant qu'il y aura des inégalités économico-sociales fortes, il n'y aura pas de réelle démocratie. Si la Révolution Française a accouché de l'abolition des privilèges, elle acte en fait un long processus social d'essor de la bourgeoisie et de déclin de la noblesse ; elle ne l'engendre pas mais l'accompagne. Si la Commune a produit des réformes sociales si ambitieuses, c'est que les communeux ont mis en place les structures politiques délibératives d'une démocratie plus directe. Les transformations sociales doivent précéder les mutations politiques et les mutations politiques doivent précéder les transformations sociales : le serpent se mord la queue.

La bourgeoisie défend une vision étroite de la démocratie et une version rabougrie du citoyen qui se limiteraient à voter à intervalles réguliers pour des représentants qu'elle a cooptés. Certes, le suffrage universel a permis de pacifier les rapports sociaux mais il est abusivement brandi par le(s) pouvoir(s) économiques, politiques et informationnels comme la seule source légitime d'autorité. Lorsque surgit un mouvement social, les capitalistes s'inventent soudain un sens moral qui se limite à respecter la sécurité de leurs biens et de leur personne. Les tours de passe-passe des élites ne permettent pas à la souveraineté nationale de s'exercer pleinement dans le vote et ses autres modes d'expression sont vilipendés par des médias jouant le rôle de chiens de garde.

Le constat est accablant. Il apparaît de plus en plus que l'essentiel des pouvoirs échappe aux citoyens électeurs parce qu'il échappe aussi aux élus. L'abstention est donc moins le signe d'un désamour de la démocratie qu'une déception pour la forme insuffisante qu'elle a prise *hic et nunc* : bien que cela soit contre-intuitif, l'abstention traduit paradoxalement une volonté de plus de démocratie. Si les citoyens ne votent pas, ce n'est pas qu'ils ne veulent pas donner leur avis, c'est qu'ils constatent qu'on ne l'écoute pas. Néanmoins, à force d'être déçus, les citoyens risquent de jeter bébé avec l'eau du bain et de plébisciter des partis peu démocratiques. Ils y sont encouragés.

Les classes dominantes s'évertuent à faire des classes populaires des citoyens somnolents ou résignés et si, malgré cela, une colère sociale vient à naître, ils s'acharnent à la détourner en haine contre les immigrés.

Cependant, il est possible de rompre avec cet engrenage. La transition vers une société plus juste, plus écologique et une réelle démocratie peut avoir lieu par la mise en place de garde-fous institutionnels pour limiter l'intervention des puissances économiques dans la vie politique, ainsi que par des formes de démocratie plus directe complémentaires de la démocratie représentative.

Mais si les classes dominantes refusent les réformes politiques nécessaires, si elles se réservent la représentation nationale et réfutent la légitimité de l'action syndicale, si elles s'assoient sur les manifestations rassemblant des centaines de milliers de personnes, que reste-t-il aux classes populaires et moyennes pour défendre leurs intérêts ?

Lien vers le blog Mediapart d'Alexandre Guilhem

Couverture : Ludovic Bernard

-

Ce livre a été imprimé à la demande en France

-

Dépôt légal : Avril 2024